TM RADIO HUMAN

コロナは幻

電波人間こと
toshichan-man

ヒカルランド

5G（超高周波の電磁波）はこれからの巨大利権です。これを書いた人、そして読んだ人、殺されるかもしれません。

深層国家（「deep state（闇の国家）」のこと）が人々を動かそうと最善の努力をしているにもかかわらず、ほとんどのアメリカ人は武漢コロナウイルス感染症（COVID-19）ワクチンにノーと言っています。

なぜなら、このワクチンは自己拡散する可能性があるからです。

つまり、ワクチンを受けた人が、ワクチンを受けていない人と「空気を一緒に吸う」それだけで、効果的にワクチンを接種することができるのです。

ジョンズ・ホプキンス大学（JHU）の論文によると、自己拡散型ワクチンは、ワクチンを受けた人と受けていない人の両方に広がるように設計されているそうです。

つまり、あなたが予防接種を受けなくても、あなたの周りにいる人が最近予防接種を受けていれば、あなたも予防接種を受けたことになるということです。

皮肉なことに、これではワクチンを接種した人が、社会を危険にさらす真の「スーパー・スプレッダー」になってしまいます。

目　次

Point ❶

コロナは幻、そしてワクチンは打てば終わり！ …………… 7

Point ❷

高周波の電磁波にワクチンは効かない！ ……………………… 19

Point ❸

5G こそが静かな殺人者 ………………………………………… 28

Point ❹

新型コロナウイルス肺炎とは5G 肺炎である

【海外の文献より】！（日本を憂えての手記）（拡散希望）………… 37

Point ❺

5G タワーがない所には

新型コロナ肺炎は存在しない⁉ ……………………………… 68

Point ❻

闇の権力の目的はワクチンを打つこと！

何のために？ …………………………………………………… 75

Point ❼

5Gが地球に、人類に、もたらすものとは!? ···················· 80

Point ❽

5Gとワクチンの合わせ技で起こることとは!? ·············· 109

Point ❾

ワクチン接種者が真の「スーパー・スプレッダー」
となる! ··· 136

Point ❿

COVID-19の予防接種を受けると女性は不妊になる？ ······ 143

Point ⓫

1兆倍の電磁波の下で暮らす人々 ····························· 160

カバーデザイン　荒木慎司
校正　麦秋アートセンター

本文仮名書体　文麗仮名（キャップス）

Point ① コロナは幻、そして ワクチンは打てば終わり！

新型コロナ肺炎＝5G 肺炎

新型コロナ肺炎というのはない。

5G 肺炎を誤って新型コロナ肺炎と思っているだけ。

イタリアの医師は「あれは悪性のインフルエンザだった」と言っていた。

現場の医師たちには、そう思えたのだろう。

上のように言ったイタリアの医師は、2020年5月にイタリ

アで70余体の解剖が行われ、96.7％は肺の動静脈末梢の塞栓 ^{そくせん}で死んでいたことが判明し、イタリア国会で大騒動となったことを知らなかったのだろう。情報は隠匿されていたと思われる。

　現在、日本において、目の潰れた鳥が多数発見されている。

　もちろん、5Gです。5Gに最も敏感なのが目の網膜です。「超高周波の電磁波」で目の網膜がやられてしまうのです。

　鳥はどんどん目が見えなくなって死んでいく。5Gは目の網膜が一番急所となる。

　人間にも網膜の白濁化が起こる。とくに5Gタワー直下では顕著です。人知れず、網膜の白濁化が都会では観察されている。原因不明の病態として。

「超高周波の電磁波」が網膜の白濁化を起こすのです。

国連職員であったクレア・エドワーズさんによれば、

「過去20年間で地球上から昆虫の80％が死滅した。もし5Gが本格稼働すれば100％が死に絶えるだろう。昆虫の次は動物、そして人間も同じ運命をたどる」

昆虫だけではありません、ウイルスも多くが死に絶えています。5Gスタートにより、インフルエンザなどが非常に起こりにくくなりました。普通の風邪も発生しなくなりました。その謎は5Gスタートにより発生した大気圏内の「超高周波の電磁波」です。

天然痘はワクチンで根絶されたのではありません。大気圏内の波動の高周波数化が原因です。高周波数化によりウイルスは次々と死に絶えていったのです。

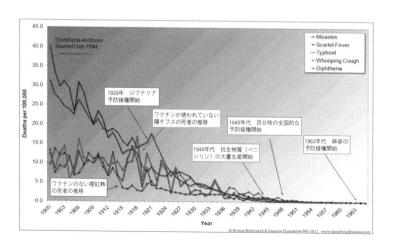

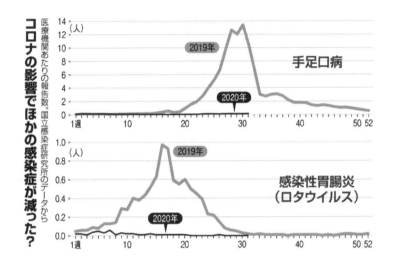

医療機関あたりの報告数。国立感染症研究所のデータから

コロナの影響でほかの感染症が減った？

手足口病

2019年

2020年

感染性胃腸炎
（ロタウイルス）

2019年

2020年

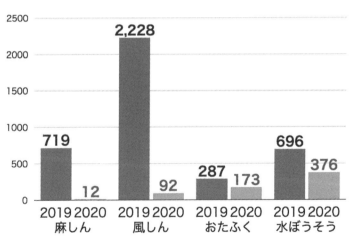

	2019 麻しん	2020 麻しん	2019 風しん	2020 風しん	2019 おたふく	2020 おたふく	2019 水ぼうそう	2020 水ぼうそう
値	719	12	2,228	92	287	173	696	376

　このままではウイルスだけでなく、人類も死に絶えるでしょう。5G スタートは人類絶滅へのスタートでもあるのです。

　1国だけ5G禁止にしても意味はありません。大気圏内の「超高周波の電磁波」だからです。

　WHOに期待するしかありません（いい人もいるのです）。

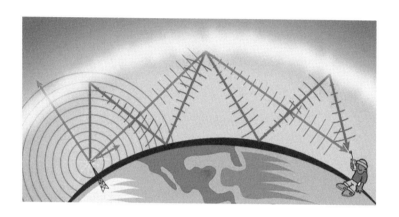

東京の5G（超高周波の電磁波）タワー直下の病院で多くの老人が新型コロナ肺炎で亡くなられました。

　日本人は電磁波の害（危険性）への認識のないまれな民族です。

　あえて「ハエのように死んでいった」と言わせてもらいます。

　コロナ騒動の本質を全く分かっていない日本国民が多すぎるからです。

　日本国民は従順な国民性のためか、4Gタワー（←これさえ危険!!）への反対デモさえ行われていません。4Gタワーでさえ危険なのを日本国民は知らないのです。3G、2Gタワーも危険らしい。直下の住民に多大な被害を出していたと思われるのです。

　今も4Gタワー直下（3G、2Gタワーも危険）の住民は何も知らず、ガンの多発などが起こっていても気づいていません。認知症・精神疾患が4Gタワーのためであることも日本人は全く知りません。

　東京の5Gタワー直下の病院で多くの老人が肺炎で亡くなられたのは、新型コロナ肺炎ではありません。5G肺炎です。

　PCR検査はパパイアでもコーラでも陽性になります（ガソリンでも水でも陽性になるのです）。そういう適当極まりない検査を行えとWHOから指令が来ているのです。本当なら、もっと精密な方法で測定するべきです。

　PCR検査はパパイアでもコーラでも陽性となると言ったアフリカの大統領は殺されました。⇓⇓

https://www.bitchute.com/video/sYbvBQyMdL3t/

　PCR検査を開発しノーベル賞をもらった人は「決してコロナにPCR検査を用いては行けない」と言っていたため殺されました。

　5G（超高周波の電磁波）タワーのない田舎でも少数ながらコロナが発生してコロナで死んだ人も少数ながらいることになっていますが、全く別の疾患で死んでも、PCR検査で陽性になれば、コロナで死んだことになるのです。

　私は田舎に住みます。全くコロナは起こっていません。テレビでは少数ながらコロナで死んだことになっていることを知り、驚いています。田舎では全く起こっていません。5Gタワーがないからです。

　都会は5G（超高周波の電磁波）が飛び交い、携帯など使おうものなら、5Gが直撃します。遺伝子に変化が起こります。何も使わなくても5Gタワーの直下の病院では多くの老人が新型コロナ肺炎の名目において亡くなられました。

　コロナの真実は国会議員クラスの政治家は大部分が知っていたはずです。知って知らない振りをしていた人殺しの政治家どももいるのです。

　霞が関の官僚が、5G&Coronaさんとして Twitter で2020年5月に内部告発していますが、ほとんど誰も気づかなかったの

です。日本人は滅びゆく馬鹿な国民です。

https://twitter.com/5gCoronasecret です。

　新しい人民支配がコロナワクチンで始まりました。クレジットカード不要の社会になりつつあります。人間の体に磁気判別機が入り、5Gで完全支配できるのです。

　国家に逆らう者と判断された人間は、パソコンを経由して殺すことも正気を失わせることも簡単にできるようになるのです。殺すことをパソコン上で行えるのです。

　支配者は人民をゲーム感覚で選んで殺せます。

　今、ワクチン反対運動が日本でも、やっと起こりかけています。日本を滅びゆく国にするか、瀬戸際の段階です。

　政治家どもは自分の身が可愛いのです。政治家には高齢の老人が多く、早く死ね、と言いたい人間で溢れています。早く悪者は死んでもらいたい。

　反骨心のある政治家はもはや日本にはいません。日本は滅びゆく。

　5Gが血液中の酸素を異常化し、血管壁に炎症を起こさせ、かつ、異常化した酸素が血液を固まらせようとし始めます。そうして末梢血管に塞栓が異常多発して老人たちは亡くなっていったのです。政治家は知っていたはずです。

　官僚が知っていて内部告発が行われているのです。その内部告発に気づけない馬鹿な国民です。2020年5月に行われてい

る内部告発を日本人は全く気づけなかったのです。１年１ヶ月前になります。5G&Corona さんです。Twitter に書き置きが残っています。

https://twitter.com/5gCoronasecret です。

　コロナワクチンの意味を分かっているのはごく一部です。日本人のほとんどはテレビ上の虚構を本当と思う馬鹿な国民です。アポロ11号が月へ行ったと思っている国民が多い。こんな馬鹿な国民は滅びゆく。

　馬鹿は馬鹿としてワクチン打って「ハエのように」死んでもらうしかない、と言って強く警告しているのです。直後の副反応は微々たるもので、本当の副反応は数年経って現れます。５年以内に全員死ぬと言う研究者もいます。

　このワクチンは人口抑制が一つの目的で、赤ちゃんが決して生まれなくなります（どんなに藻掻いても生まれなくなります。手遅れになった人は多いと思います）。世界人口を５億まで減らしたいのが支配者の考えです。

　支配者はワクチンを打ちません。「子供だけには決して打たせるな‼」とトランプ前大統領は言っています。ワクチンは人口抑制（子供を産めなくする）、そして人民の知能低下を狙っています。人民が賢かったら困るからです。人民は馬鹿でないと支配しづらいからです。

ワクチンを打つと５年以内にガンになって死ぬと言っている研究者もいます。５年以内ですから因果関係は判然としなくなります。そして呆けが生じます。呆けは早め（１ヶ月以内に来ることも多いらしい）に来るようです。ワクチンを打った人間は雇われなくなります。

　呆けてしまって自動車をまともに運転することができる人間が少なくなりますから、全自動の自動車が飛ぶように売れるようになります。

　5Gで完全管理ですから、呆けた人間ばかりでも交通事故は起こりません。その代わり、人間は家畜となります。

　人民は家畜の幸せを追い求めることになります。5Gとナノジェルを連動させて心を自由に操れるようになります。悲しみも喜びもパソコン上で操作できるようになります。

人類は終わったのです。

【参考文献】

１）亀 節子；人工電磁波がもたらす健康被害について——電磁波過敏症をめぐる諸問題——、関西医療大学紀要 Vol (12),14-22, 2018

２）北條祥子；新たな健康リスク要因としての電磁場、臨床環境25（２）：94-110, 2019

３）北條祥子、土器屋美貴子：電磁過敏症に関する最新知見と今後の課題、臨床環境21（２）：131-151. 2012

４）鈴木務；電磁界と生体——電波法の「電波防護基準」に関連して——、生体医工学43（３）：395-405, 2005

５）Sobel E, Davanipour Z, Sulkava R, et al:Occupations with exposure to electro-magnetic fields: a possible risk factor for Alzheimer's disease. Am J Epidemiol. 142 (5)：515-524.1995

６）汐見文隆；低周波音被害を追って——低周波音症候群から風力発電公害へ、寿郎社、札幌、2016

７）汐見文隆；低周波音被害の恐怖——エコキュートと風車、アットワークス、大阪、2009

８）汐見文隆；低周波音症候群——「聞こえない騒音」の被害を問う、アットワークス、大阪、2006

９）汐見文隆；隠された健康被害——低周波音公害の真実、かもがわ出版、京都、1999

10）汐見文隆；道路公害と低周波音、晩聲社、東京、1998

Point ② 高周波の電磁波に ワクチンは効かない！

（拡散希望）

よく分からないが、Facebook にアップした元のデータが消されました。

そんなにまずいのだろうか？ とってあったのでここに載せます。

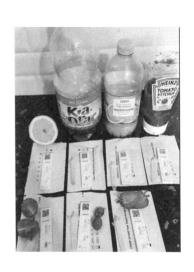

いろいろ PCR 検査したら、グレープフルーツだけが陰性でした。

我々は今、原始時代に比べ、1兆倍（5G が始まってからは100兆倍）の電磁波に囲まれて生きています。これで病気にならないはずがない。

大自然の周波数は 8 Hz ……日本では東日本が50Hz ……西日本が60Hz ……（2G 開始前は）2G は Upto 1.9GHz …… 3G は

Upto 2.1GHz……4G は Upto 2.5GHz……5G は Upto 95GHz な
のです。

2G 1991	3G 1998	4G 2008	5G 2020?
Texting	Texting, Internet access	Texting, Internet access, Video	Texting, Internet access, Ultra HD & 3-D video, Smart home
2G Frequencies	3G Frequencies	4G Frequencies	5G Frequencies
GSM 2G Upto 1.9 Ghz	HSDPA 3G Upto 2.1 Ghz	LTE 4G Upto 2.5 Ghz	IoT 5G Upto 95 Ghz

　欧米では古くより電磁波の害について医師などが警告を発し
ていました。それゆえに電磁波の危険性への認識が欧米では強
かった。

　ロシアは電子レンジ禁止である。電子レンジの発する電磁波
のみでなく、それで温めた食品も危険と言われている（←日本
人は知らない）。なお、ロシアで新型コロナウイルスが流行っ
ているというのはフェイクです。マスコミを信じてはいけない。

　欧米では16歳以下はスマートフォンなど使用禁止である。
子供への害が強いと認識されているからだ（←日本人は知らな
い）。

　日本では子供でもスマートフォンは使いたい放題である。こんな国は世界中、中国と日本と韓国だけである（←日本人は知らない）。

　Bluetooth を使用したイヤフォンを子供が使う国は日本ぐらいだろう。欧米では脳がやられるとして使用禁止になっている。有線のイヤフォンなら欧米でも子供も使用可となっているが。Bluetooth のイヤフォンを16歳以下が使うと脳の神経細胞がやられるから使用不可と欧米ではなっている（←日本人は知らない）。

　日本人の子供の学力低下は電磁波による（←日本人は知らない）。

　近年の日本人の子供の学力低下の原因は電磁波です。そして日本は滅ぶ（←日本人は知らない）。

　Bluetooth のイヤフォンをしながら勉強しても脳の神経がやられるから無駄なのである（←日本人は知らない）。

　電磁波への危険性への認識がないクルクルパーの国民が日本人である（←日本人は知らない、自覚症状がない、クルクルパ

ーであることへの自覚症状がない）。

　中国と日本と韓国は企業の利益のみが優先され、国民の健康は二の次なのである（←日本人は気づいていない）。

　政治家は利権にまみれ、電磁波の危険性を知りながらも、家族や親戚にしか、その危険性を言わない（←政治家はいらない、政治家は利権にまみれたクルクルパーなのである）。

　しかし、電磁波の危険性を訴えることは命懸けになる。企業の利益に反するからだ。

　命を懸けて、国民の健康を願う医師は日本にはいない。日本の医者は皆、金儲けのことばかりが頭の中にある。

　ただし、昔の日本の医者は、インフルエンザ予防接種が何の役にも立たないと、義務接種を中止させた。あの時代の医師にはガッツがあった。

　しかし、それは昭和の時代。今の医者は金儲けのことしか頭の中に入っていない。

　今のコロナ騒動は、国民が「コロナは5G」と気づいたなら、収まる。やっと、欧米（の一部）と同じく、ワクチンの必要性は全くないことを理解するからだ。

　5G（超高周波の電磁波）にワクチンは効かない。このことは小学生にも分かるはず。

　我々が幼い頃より受けてきたワクチンは実は全く効果はなく、

百害あって一利なしなのである。

　今回のコロナ騒動で勉強して分かった。ウイルスは波動（電磁波）らしいのである。もしくは、異次元の存在である。異次元の存在にワクチンが効くわけがない。

「コロナは5G」は欧米では常識であるが、誰も怖くて言えないでいるのである。これを言うと殺人者がやってくる。これを読んでいる貴方にも殺人者がやってくる（かもしれない）。

　欧米では以前から電波塔などへの訴訟が多く起こっていた。

　近くに電波塔が建つと、住民は必ず訴訟を起こしていた。

　それゆえに欧米では4Gタワーさえ、立つのが難しかった。

（日本は従順な国民性のゆえだろう、4Gタワー反対運動さえ起こっていない。いや、日本国民は電磁波の危険性が全く分かってない‼　クルクルパーなのだ‼　クルクルパーなのだ‼　クルクルパーなのだ‼）

　そしてイギリスでは5G（コロナの原因）発信器を設置する電気技師が、

「5G（コロナの原因）は、超高周波の電磁波で健康に危険だから壊す」

　と言って自ら塔に登っていって壊した（みんなが見ていた）。

　一気にイギリス国民は気づいた「コロナは5G（超高周波の電磁波)」であると。

　このように電磁波の害をよく知る欧米ではすぐに「コロナは
5G（超高周波の電磁波）」と気づき、5Gタワーを壊す運動が
起こった。

　しかし、「コロナは5G（超高周波の電磁波）」は徹底的に叩
かれ、欧米では666人が殺された。鈍く言う（焦点を少しずら
す）者は焦点反らしとして残された。

　私がその頃、読んで理解した、イギリス在住の日本人女性が
「コロナは5G（超高周波の電磁波）」と詳しく非常に分かりや
すく書かれたブログ（ホームページ）は消された（←殺された
のか？　私はこれで理解した）。

　先月、日本人男性が詳しく書かれていた「コロナは5G（超
高周波の電磁波）」のホームページは消された（←殺されたの
か？）。

　コロナのことは、どう言ってもよい。

　しかし、5G（超高周波の電磁波）はこれからの巨大利権、決して言ってはいけない（←欧米人は666人殺されたことを知っているから、言いたくても言えないでいる）。
「コロナは5G（超高周波の電磁波）」とは決して言ってはいけないのである（欧米では）。これを言うと必ず殺人者がやってくるのである。

　読んでいる貴方も殺される?!
　読んでいる貴方も殺される?!
　読んでいる貴方も殺される?!

　都会は電磁波に充ちており、人の棲む所ではありません。しかし、支配者たちは5Gとワクチンに含ませたマイクロチップ（そしてナノジェル）で人民を支配したいようです。
　都会から逃げるべきです。そしてワクチンは決して打ってはいけません。新しい完璧な人民支配のための今回のコロナ騒動です。

　コロナはない、コロナは幻。

　コロナは「超高周波の電磁波」。

電磁波降り注ぐ都会は元から人の棲む所ではなかった。それが5Gタワーができ、街中至る所に5G（超高周波の電磁波）放射装置が備わり、人の体にはワクチンでマイクロチップ（ナノジェル）が入れられる！

　もはや、世の中は終わった！

　5Gが始まってから、インフルエンザなどのウイルスは絶滅状態なのです。ウイルスも太古の昔よりの日光（太陽の光）には耐えられるけど（適者生存）、新しい波動・鼓動である電磁波には弱い（脆い）ようです。とくに5Gが始まってからは絶滅状態なのです。

　都会では、強迫性障害・うつ病性障害の劇的増加が起こっていて、原因はコロナによる「閉じこもり」とされますが、実際は5Gが原因です。

　海の生態系が変わった（昔の魚と今の魚が変わった、とくに5年ほど前から）のは電磁波のせいです。

　田舎にも4Gタワーができたからです。

　5年ほど前より、小魚がいなくなりました。

　魚も「高周波の波動」で子供が生まれなくなったようです。

　温暖化は「高周波の波動」の騙しだったのです。

　4Gでさえ、危険。

　5Gはもっともっと危険。

　都会では5G（超高周波の電磁波）タワーがたくさんあり、人間も子供が生まれなくなるようです。

　これはコロナワクチンの副反応と酷似しています。

　もしかすると、コロナワクチンの副反応は、ウイルス学という幻に洗脳されている学者の幻想なのかもしれません。

　本当は5Gの害のようです。

　人類破滅の始まりが始まっているのです。

Point ③

5Gこそが静かな殺人者

　昔、インドの学者だったと思うが、恐竜は太陽光の高周波化により絶滅したと説いた学者がいた。異端と言われ、異端と言われたまま、この世を去ったが、現在になって、それが慧眼であったとされる（←私のみの意見か？）。

　1億年前、太陽の爆発が起こり、太陽の光が高周波化され、その高周波（おそらく紫外線であろう）に耐える生き物のみが生き残った。

　ウイルスや細菌・植物も多くが絶滅した。食料になる植物の絶滅により、恐竜は絶滅したのかもしれないと異端とされた学者は語った（書いた）。

　恐竜は地球に衝突した大隕石により、地球が寒冷化したため絶滅したとされるが、間違いだったらしい。

〈一番最近の大絶滅は、恐竜の絶滅で知られる白亜紀後期（約6600万年前）に起きた大絶滅で、生物全体の半数以上の種が絶滅したと考えられています〉

〈博士は「突然の衝突がとどめを刺した可能性はあるが、恐竜は最終的に絶滅する何千万年も前から、支配的な勢いを失い始めていたのでは」と説いた。恐竜は隕石がぶつかる前には既に衰退期だったことが研究により明らかになった〉

同じく、地球の温暖化により、海の生態系に変化が起こっているとされるが、2G・3G・4Gの普及により、海水も高周波化され、海の生態系に変化が起こった、と思われる。

昔はいなかったハタが今は多くなった。そして、昔は多かったカサゴが少なくなった。ベラの子供が5年ほど前より、港から消えた。4Gが田舎においても本格的に始まり、海水が高周波化されたためと思われる。

カサゴが少なくなったのは、乱獲のためとされるが、それだけでは説明がつかない。

　ベラの子供が港にいなくなったことは、温暖化のためとされるが、それだけでは説明がつかない。イワシもまた、非常に少なくなったのである。イワシは海面の浅い所を棲処とする。大気圏内の**高周波の波動化**をまともに受ける。

　このままでは漁業も絶滅するかもしれない。イワシが養殖業の餌になっていた。代わりの餌があるのだろうか？

　温暖化は騙しだったのである。たしかに夏が暑くなった。以前は夏もそれほど暑くはなかった。そして、雪もまた積もらなくなった（降らなくなった）。

　以前は、線状降水帯はなかった。それが現れたのは大気圏内の波動の**超高周波の電磁波化**が原因である。災害的大雨はHAARP を使わないと昔は起こらなかった。今は災害的大雨が普通に起こるようになった。5G の世界的な稼働による大気圏内の**超高周波の電磁波化**である。

　5G の使用を禁止する意見が WHO では盛んに論議された。WHO の普通の職員は善良である。WHO のトップクラスのみ「deep state」である。普通の職員の意見は無視された。

　5G のスタートにより、4G までの波動より20倍以上の波動が全世界の大気圏を覆った。

　20倍以上の波動は海にも及んだ。海面近くを泳ぐイワシな

どは絶滅近くになった。海底に棲むカサゴ・ベラも子供が産めなくなった。カサゴ・ベラも絶滅していくであろう。

　代わりに「超高周波の電磁波」に強い魚が多くなる。恐竜絶滅のような変化が海にも及ぶだろう。

　今はアユの養殖が非常に難しくなった。大気圏の「超高周波の電磁波化」である。アユの子供が生まれにくくなったのである。

重要↓↓

https://www.okinawa.med.or.jp/old201402/activities/kaiho/
kaiho_data/2010/201001/062.html

↑↑アクセス規制を受けているから、おそらく間違いない。
4G でも、これほど危険（これは3G か2G らしい⇩⇩⇩⇩）。

開くのが困難と思い、以下に引用します。
沖縄県医師会会報「沖縄医法」より
『携帯電話基地局について』

〝電磁波〟と聞いて皆さんはどのような印象をお持ちでしょう
か？　携帯電話基地局の設置後、マンション住民に出現した症
状に関してご理解頂きたく投稿いたしました。私自身が体験し
た事実をお話します。

平成12年に私が住んでいたマンションに携帯会社の800メガ
ヘルツの携帯基地局が設置されました。同年私たち一家６人は
３階に入居しましたが基地局の件は知りませんでした。当時か
ら電球が切れやすい、テレビの映りが悪い等のことがありまし
た。長男に不整脈が出現したため小児循環器の専門医に診ても
らい経過観察となりました。

平成16年に最上階に引っ越しました。

　平成20年３月に更に２ギガ（１ギガ＝1,000メガヘルツ）の
携帯基地局の設備が追加されることになりました。設備の更新
ということでの住民説明会はなく、住民決議もありませんでし
た。新しい２ギガの携帯電話基地局のアンテナとバッテリー装
置は私たちの部屋の屋根に直接設置され、その後に恐ろしい症
状が次々と出現しました。

　最初は長女に鼻血がでました。鼻血は通常の静脈からの出血
ではなく動脈からの出血でした。半日以上出血が持続したため、
耳鼻科を受診して右の鼻の動脈を焼いて止血してもらいました。
数日後、反対側の動脈から出血したため救急病院を受診し再度、
止血してもらいました。

　次女は極度の眠気が出現しピアノを弾いているときでさえも
眠り込んでしまうようになり、驚いたピアノの先生から連絡が
ありました。三女は今まで一回も鼻血を出したことはありませ
んでしたが、今回初めて鼻血を出しました。長男は勉強中に頭
を上げると意識が遠のく感じになり200回／分の頻脈、不整脈
も出現しました。

　私は頭痛、不眠が出現し眠る前に大量に飲酒をして午前１時
頃に眠りましたが朝３時には頭痛で目が覚めました。高速道路
での運転中に意識が遠くなり危うく事故を起こしそうになった
こともありました。妻もめまい、頭痛、ろれつ難、意識が遠の
く等の症状が出現し車を民家の壁にぶつけてしまったこともあ

りました。

　当時は毎週電球が切れ、テレビもほとんど映らなくなっていました。これらの経過から電磁波による症状に間違いないと考え、引っ越し先のマンションを探しました。しかし6人家族が入れる部屋がなく、止むを得ず10月26日にウィークリーマンションに緊急避難しました。

　ランドセルや学校の鞄、教科書、制服等と身の回りのもの最小限を車に積んで泣きながら移動しました。引っ越してから1週間後には家族全員の症状が改善しました。1ヵ月後、賃貸マンションに引っ越しました。

　平成20年12月17日夫婦で携帯会社の担当者に会い、現状報告と基地局撤退を強く申し出ました。翌日12日18日マンションの理事会に参加し私達家族に起こった健康被害を報告し住民説明会の開催を申し出ました。

　説明会の際、多くの方々が身体症状を訴えてきたため、アンケート及び聞き取り調査を行いました。頭痛、不眠症、めまい、飛蚊症、極度の視力低下、眼痛、鼻血、耳鳴り、嘔吐、強度の倦怠感、意識消失、関節痛、精神錯乱が多数みられました。

　また顔面神経麻痺、メニエル病、甲状腺腫瘍、バセドウ病、橋本病、味覚障害、狭心症、前立腺肥大、腫瘍（舌癌の再発）もありました。ペットの犬、小鳥、金魚、メダカが死んでしまった方もいました。更に家電設備（照明、冷蔵庫、洗濯機、電

子レンジ）の異常もありました。

　ある住民は10年前から絶滅危惧種であるメダカを繁殖させて川に放流するというボランティア活動を行っていました。しかし今年生まれた稚魚は背骨が曲がっており40匹中、36匹が死んで４匹のみ生き残ったそうです。これらのすべての症状は２ギガのアンテナ設置後に起こっています。

　携帯会社により電磁波の測定が行われましたが、その結果は「電磁波の強さは総務省の定める基準以下でありマンション住民の健康被害との因果関係はありません」との回答でした。

　マンションの理事会で基地局の契約更新はしないことを決定し、更に住民の症状が深刻であることを携帯会社に訴え、アンケート調査の結果を報告し、早期の撤去を求めました。

　平成21年２月に２ギガのアンテナの停波、同年６月に800メガヘルツの停波、８月に全ての基地局設備の撤去が行われました。その後、住民の症状は回復しています。また家電設備の異常もなくなりました。

　以上のような経過があり、私は携帯電話の基地局設置の際には慎重に検討すべきであると考えています。

　電磁波に詳しいジャーナリストである「加藤やすこ」氏のサイト「VOC－電磁波対策研究会」（http://homepage3.nifty.com/vocemf/）で海外の研究の訳文をダウンロードできますので参考にしてください。

追加：私のマンションの記事が9月18日発売の「週刊金曜日」に〝住民が次々と鼻から出血するマンション〟として掲載されております。この記事を読んだ全国の方々から同様の症状を訴える報告が多数届いています。

新型コロナウイルス肺炎とは 5G肺炎である【海外の文献より】！
（日本を憂えての手記）（拡散希望）

　この情報はイタリアで2020年の５月に拡散されたものであり、誤情報（フェイク）とするため「細菌」と書き加えてある。早くに拡散された正しい情報は全て消されたらしい。5G（**超高周波の電磁波**）肺炎は細菌は関与しないのである。

　Duckduckgo で検索したら（今日、2021年５月12日）出てきた。去年の５月24日に書き込んである。先日、出回っていたロシア保健省の情報は、これをコピー（ロシア保健省と付け加えてある）したものだ!!

１年前にイタリアで以下のことが発見されたが、マスコミは完全無視した。心ある人はこれに注目した。

　しかし、世界は「deep state」が支配している。反抗はできなかった。この事実を無視するしかなかった。

　How Italian Doctors Disobeyed WHO And Discovered The Secrets Of Coronavirus（イタリアの医師たちが WHO の絶対に遺体を解剖をしていけないという無謀な命令に背いて解剖を行い、コロナウイルスの秘密を発見した）－ Health–Nairaland（Reply）How Italian Doctors Disobeyed WHO And Discovered The Secrets Of Coronavirus by Raphkriz（m）: 4:51pm On May 25, 2020

　友人たちよ、コロナウイルスは WHO が私たちに信じさせているようなウイルスでは決してなく、全ての生きとし生けるものにワクチンを接種し、多くの人々を暗殺し、生きとし生けるものを支配し、世界の人口を10分の１に減らしたいがための「詐欺」なのだ。

　イタリアの医師たちは、世界保健機関（WHO）の「決して遺体を解剖してはならない」という滅茶苦茶な命令に従わず、コロナウイルスの死者の検死を行った。

　そして、コロナウイルスとは安全な弱毒なウイルスであり、

死をもたらすものは5Gであることを発見した。5Gが原因で血栓ができ、死に至ることを突き止めた。

（有名陰謀論者は人工的に新型コロナが造られたと騒いでいた。有名陰謀論者は真実を知っていたはずであるが。誤誘導・焦点逸らしが陰謀論者の役目である）

　それは「播種性血管内凝固」（Thrombosis）に他ならない。
　そして、その戦い方、つまりその治療法は「抗凝固剤、抗炎症剤、そして軽めの抗生物質」である。

（イタリアでは、一般的なありふれた抗生物質も加えてあった。高齢の老人には細菌感染が併発しやすいからであろう。一般的な手頃な経口の抗生物質であった。抗生物質がなぜ必要かと、そのとき、煩悶した。今思うに、それは、かなりの高齢者がほとんどであったからだ）

Switzerland halts rollout of 5G over health concerns
The country's environment agency has called time on the use of all new towers
🔗ft.com

　2020年春に欧州では5Gが犯人と既に見抜いていた。

　新型コロナは存在せず、5Gのみと。

5G＝超高周波の電磁波

　強い毒性のウイルスを拡散すると闇の権力側の人間まで死んでしまうからである。新型コロナは造られていない。

　権力者には老人が多い。だから決して造られていない。

　目的はワクチンを打つことだ（←彼らの目標の一つ。9.11のように一石六鳥いや一石九鳥ぐらいまで彼らは狙っている）。

　イタリアでの新型コロナでの死亡者は高齢者がほとんどであ

ったから、経口の抗生剤を使ったのであろう。

　病院で高齢者が風邪を引くと、抗生物質まで処方することは多くある。

　高齢者は風邪であっても２次的に細菌性肺炎となることが多いからだ。

　5G（超高周波の電磁波）は血液の酸素を異常化し、異常化された酸素が血管壁を攻撃し、血管壁に炎症が起こる。異常化された酸素は血液の粘稠度を大きく上げる。自然と血栓が起こる。それゆえに抗凝固剤（アスピリン）と抗炎症剤（アセトアミノフェン）が必要である。

（バタッと倒れるのは、5Gにより異常化された酸素が組織に行き渡らず、そうなるのである）

　5G（超高周波の電磁波）で使用してる周波数60GHzは
　酸素分子を異常化する。

つまり酸欠になる＝突然倒れる。

　5G・60GHzは血液中の酸素を異常化する。

　アメリカ・中国では60GHzのようだが、日本はこの周波数ではないらしい（今は29GHz、やがて39GHz）。

　しかし、日本でも、5Gタワーの直下の病院で新型コロナ肺

炎で多くの老人が亡くなっている（正確には5G肺炎）。

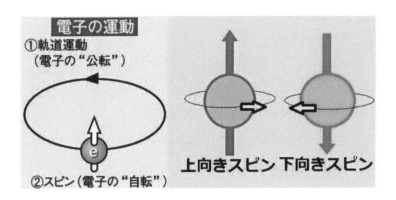

呼吸して取り込んだ人の内部のO_2が、突然、異常化されたら、肺胞から血液にO_2が供給されず、即死する。↑↑

この世界的にセンセーショナルなニュースは、イタリアの医師がCOVID-19で亡くなった遺体を検死して出したものである。

イタリアの病理学者は「人工呼吸器や集中治療室は全く必要なかった」と言う。

したがって、イタリアでは治療法の変更を行いました。

（これは全く報道されなかった↑↑）

この治療法は、中国共産党は既に知っていましたが、世界制覇のため内密にしていました。

（↑↑上図は、あまりにも出来すぎており、イスラム国のでっち上げ（虚構）と同じ。テレビ局内で撮影されたものだろう。こういうミスを彼らは故意（内部の反乱分子か??）に起こしてくる。イスラム国のでっち上げ（虚構）のときも、こうだった）

　この情報をご家族、ご近所、お知り合い、ご友人、お勤め先、同僚、一般の方々にお伝えください。

　もしCOVID-19になったら（COVID-19はマスコミが造ったもので実際はありません。真実は5G〈超高周波の電磁波〉に曝されたのです。……彼らが信じさせているようなウイルスではなく……炎症と低酸素を生み出す5G電磁波で増幅されたもの）、すべきことはアスピリン100mg（バイアスピリン１錠）とアプロナックスまたはパラセタモール（抗炎症剤であるアセ

トアミノフェン、血管内壁の炎症を鎮めるためである）、そして軽めの抗生物質を飲むことだけです。

　本当にそのような強毒性のウイルスだったら、闇の権力者たち（←老人が多い）まで死んでしまうからないと言えるのである。

　5G（超高周波の電磁波）により異常化された酸素が、血管内壁に炎症を起こさせ、血栓を作り、心臓や肺に酸素が供給されず、その結果、呼吸ができずに、老人は死んでしまうことが明らかになっているのです。

　繰り返しますが、イタリアで、医師がWHOの「決して解剖してはいけない」という滅茶苦茶と言える命令に従わず、COVID-19で死亡したとされる死体を検死し、分かったことです。

　死体を切断して手足などを開いてみると、静脈が拡張して血液が凝固し、全ての静脈や動脈が血栓で満たされていて、血液が正常に流れず、脳や心臓、肺を中心とした全ての臓器に酸素が行き渡らず、患者は絶命してしまっていた。

（すなわち、肺炎ではなかった。単なる血栓症であった）

　これを発見したイタリア保健省は、直ちにコロナウイルス治療のプロトコルを変更し……患者にアスピリン100㎎（バイアスピリン1錠、脳梗塞予防によく用いられる）とアプロナックス（老人によく使う軽めの抗炎症剤、血管内壁の炎症を鎮めるためである）そして軽めの抗生物質を投与し始めました。

　そして、この新しい治療法により、1日で1万4000人以上

（ロシア保健省が発表したとされる数と全く同じ）の患者を帰宅させることができたのです。

　イタリアでは、既に数十万人単位の死者が出ており、深刻な混乱状態にありましたが、常識を覆したのです。

　これでWHOは、多くの死者を隠蔽し、世界の多くの国の経済を崩壊させたとして、世界的に訴えられることになるだろう。

　汚染度が高いというレッテルを貼り、遺体を解剖せずに火葬したり、すぐに埋めたりする命令を出した理由も分かってきた。

　新型コロナとはマスコミウイルスなのである。

〈ダイヤモンド・プリンセス号は40GHzのスターリンクのネットワークを実装していた〉（ここでは40GHzと書かれてある、60GHzの間違いと思う）

（家庭用ルーターであっても中国のルーターが格安であったため、それを買い、使うと私は具合が悪くなっていたため〈暗示だった可能性は高いと思うが〉、元の古い日本製のルーターに戻すと具合は悪くなくなりました）

　5Gタワーは最も危険な60GHzである（←アメリカ・中国では。日本では違う波長〈29GHz or 39GHz〉であるが、5Gタワー直下の病院では多くの老人が肺炎で亡くなっている）。

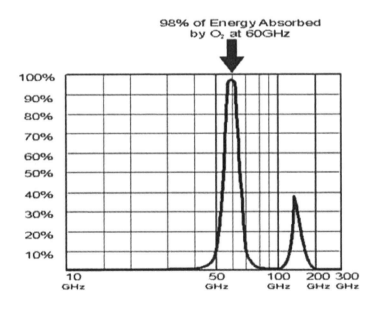

　私はこの記事を命懸けで書いている。新型コロナのことだけなら、闇の権力には不都合ではない。5G（超高周波の電磁波）に触れたら殺されることを欧米人はよく知っている。書いてい

る私だけでなく読んでいる貴方も危険である。

　先日のロシア保健省のものとされる発表資料はロシア保健省のものではなく、1年前のイタリアでの発見をある個人がInstagram に載せたものだった。

　Instagram ならば大丈夫と判断したのだろう。また、イタリアで弱めの抗生物質が処方されていた意味が分からず、「細菌」を文書の中に加えてある。

　一般人が書いたものだ。高齢の老人の場合は、普通の風邪でも2次的に細菌性肺炎になることが多いからだ。

　トランプ前大統領は「私の持ち家の範囲では5G は使わせない」と以前、言われたそうであるが??　今、煩悶している??
5G（超高周波の電磁波）は便利なところも多々あるのである。

　ここで原文を掲載し、改めて内容を検証する。

How Italian doctors disobeyed WHO and discovered the secrets of coronavirus

May 24, 2020（←１年前のものです）

People's Tonight

May 22

Friends, coronavirus is never a virus as WHO has made us to believe; the whole PANDEMIC is because they want to vaccinate every living being, and assassinate the great number of people, control the living, and reduce the world population.

（公文書に Friends と書くだろうか？　これは出回った公文書ではない文書に少し手を入れたものか、内容を少し変えて掲示板に載せたものと思う。いや、ある医療関係の個人が勇気を持って書いて載せたものだろう）

Italian doctors, disobeyed the world health law WHO, not to do autopsies on the dead of the Coronavirus and they found that it is NOT a VIRUS but a BACTERIA（←ここはおかしい。間違っている。間違っているから消されず残っていたのだろう。5G なら正しい。but a 5G が正しい）that causes death. This causes blood clots to form and causes the death of the patient.

Italy defeats the so-called Covid-19, which is nothing other than "Disseminated intravascular coagulation" (Thrombosis).

（イタリアの人は単なる播種性血管内凝固症候群〈D.I.C〉であるが COVID-19と言われていたもの〈病態〉を打ち負かした）（←ただし、全く報道されなかった）

And the way to combat it, that is, its cure, is with the "antibiotics, anti-inflammatories and anticoagulants". ASPIRIN, indicating that this disease had been poorly treated.

（この病態は戦うことが極めて困難な「(悪魔の最終兵器) ＝ 5G」と言われていたが、アスピリン・抗炎症剤・抗生剤で、それを打ち負かした）

This sensational news for the world has been produced by Italian doctors by performing autopsies on corpses produced by the Covid-19.

Something else, according to Italian pathologists. "The

ventilators and the intensive care unit were never needed."

（この世界的なセンセーショナルなニュース〈←全く報道されなかった、１年１ヶ月経っているが〉はイタリアの医師たちがCOVID-19で死んだとされる遺体を解剖して発見した。

　イタリアの病理学者は「人工呼吸器や集中治療室など全く必要はなかった」と明言した）

Therefore, in Italy the change of protocols began, ITALY THE SO-CALLED global pandemic is REVEALED AND RAISED BY THE WHO, this cure the Chinese already knew and did not report FOR DOING BUSINESS.

Please pass this info on to your entire family, neighborhood, acquaintances, friends, colleagues, coworkers and the general public.

　それゆえに、イタリアでは治療法の大幅な変更が行われた。イタリアではいわゆるパンデミックなど全てが嘘っぱちであることが、分かった!!

　中国は既に知っていたが、秘密にしていた。

　このことを家族や近所の人や知人・友達・同僚にお伝えください。

If they get to contract the Covid–19…which is not a Virus as they have made us believe, but a bacterium（ここが〝とんでも〞の間違いである。細菌は関与しない。bacterium を5G に書き換えたら正解）… amplified with 5G electromagnetic radiation that also produces inflammation and hypoxia（炎症と低酸素血症を起こす）;

All they need do is take Aspirin 100mg and Apronax（パラセタモールより強めの抗炎症剤）or Paracetamol（アセトアミノフェン、抗炎症剤であり、老人にも安全として老人の風邪に頻用される解熱剤）

This is because it has been shown that coronavirus causes clots of blood,（本当は5G〈超高周波の電磁波〉が血栓を作るのである）which compels the body to develop a thrombosis, and the blood not to flow and oxygenate the heart and lungs, this results in the person dying quickly due to not being able to breathe.（呼吸ができなくなって死に至る）

In Italy, doctors disobeyed the WHO protocol and did an autopsy on a corpse that died from Covid-19（遺体を解剖して

はならないという滅茶苦茶な命令を WHO は出していたのだ）.

They cut the dead body and opened the arms and legs and the other sections of the body and realized that the veins were dilated and coagulated with blood, and all veins and arteries filled with thrombi（全ての動静脈は血栓で満たされていた）, preventing the blood from flowing normally and bringing oxygen to all organs, mainly to the brain, heart and lungs and the patient ends up dying.

Having discovered this diagnosis, the Italian Ministry of Health（ロシアではない、イタリア保健省だ。しかし、公文書に Friend とは書かないはずだ。イタリアの勇気ある医療関係の個人が書いたものが出回ったのだ）immediately changed the coronavirus treatment protocols … and began to administer to their positive patients Aspirin 100mg and Apronax.

（この診断の発見により、イタリア保健省では治療法の大幅な変更を行った）

（アスピリン100mg〈バイアスピリン１錠〉and アプロナックス〈抗炎症剤〉ここでは抗生剤が書かれていない）

（ところが、全くマスコミは放送しなかった）

And these patients began to recover and with improvements, as a result of this new method, the Ministry of Health released and sent home more than 14,000 patients（ロシア保健省発表と同じ数だ）in a single day.

（略）

🐮〜🐮〜🐮〜🐮〜🐮〜🐮〜🐮〜☂〜☂〜☁〜☁〜☁〜

　イタリアでコロナ肺炎で死んだとされる人の解剖を行ったところ、解剖した70体の96.7％はD.I.C（disseminated intravascular coagulation：肺末梢の血栓症）で死んでいたことが分かった。

「肺炎で死んでいるのではない!!」と、イタリア議会は炎上した!!

　イタリア国会での騒動は意図的に無視され、1年が過ぎた。この1年での悲劇は非常に多かった。さらに続くと、人類の破滅的な悲劇へとつながるだろう。

Don't also say here 25,000 deaths.

The best of the Muslim Times' collection for war against Covid 19:

Majority of the seriously ill patients are not disseminated intravascular coagulation（DIC）in a strict sense. But, it is certainly a coagulopathy as a result of endothelial damage.

（厳密な意味では D.I.C〈disseminated intravascular coagulation〉ではないが、しかし、血管内皮細胞のダメージにより血栓症が生じる）

In this day and age, understanding bacteria（ここでも細菌という間違いが書かれている。これゆえに消されず、残されていたのだろう）and viruses and developing vaccines are national security issues. In my view sizable part of every country's defense budget should be spent in these pursuits rather than making tanks and other weapons.

For the latest news about drugs and vaccines' trials please go to:

For the number of cases and epidemiology in each country go to:

WorldOMeters

DAILY NEW CASES AND DEATHS IN US, CDC SITE

desinndeiatkorogawakatta

The Italian doctors disobeyed the WHO world health law, not to make an autopsy on the dead coronavirus and they found that it is not a virus but a bacteria that causes death.This causes blood clots and the patient to die and the way to fight it is with "antibiotics, anti-inflammatories, and anticoagulants", Aspirin, indicating that this disease has been poorly treated.

（antibiotics の入っている意味がコピーした人には分からず、細菌感染と思ったらしい。このため確信逸らしになると故意に

放置されていた）

This sensational news to the world was produced by Italian doctors by performing autopsies on corpses produced by the COVID-19.

（このセンセーショナルなニュースは、イタリアの医師がCOVID-19で死んだとされる遺体を解剖して発見されました）

In Italy, they messed up the WHO protocol and did an autopsy on a dead body from COVID-19.

（イタリアでは WHO の COVID-19で死んだとされる遺体を解剖してはならないという命令を無視して解剖が行われました）

（COVID-19＝5G 〈超高周波の電磁波〉, not a virus, and not a bacteria）

They cut the body, opened its arms, legs, and other parts of the body, and surrendered the account that the veins were dilated and clotted blood. All veins, and arteries filled with thrombi, prevented blood from flowing normally and transport oxygen to all organs, mainly the brain, heart, and lungs, and the patient ends up dying.

（手と足だけでなく、体中の解剖を行った。静脈は拡張しており、血栓で満たされていた。血液が流れない状態であり、酸素が脳・心臓・肺など各臓器へ運ばれない。そして患者は死んでいた）

The best of the Muslim Times' collection for war against Covid 19:

Majority of the seriously ill patients are not disseminated intravascular coagulation (DIC) in a strict sense. But, it is certainly a coagulopathy as a result of endothelial damage.

（厳密な意味では播種性血管内凝固症候群とは言えないが、血管内皮の破壊により、血栓症が生じている）

（この文面では、COVID–19により、こういう悲惨な病態が生じていると解される。それゆえに確信逸らしになると判断され、放置されていたのだろう。5Gのことには全く触れられていない）

In this day and age, understanding bacteria and viruses and developing vaccines are national security issues. In my view sizable part of every country's defense budget should be spent in these pursuits rather than making tanks and other weapons.

For the latest news about drugs and vaccines' trials please go to:

For the number of cases and epidemiology in each country go to: WorldOMeters

DAILY NEW CASES AND DEATHS IN US, CDC SITE

🐮〜🐮〜🐮〜🐮〜🐮〜🐮〜🐮〜☂〜☂〜🐗〜🐗〜🐗〜

私は長年、300床の精神科病院に勤務する医師ですが、毎年悩まされていたインフルエンザ・ノロウイルス感染が去年から全く起こらなくなりました。

ロバート・ケネディJr. はワクチンの専門家であり、ケネディJr. および従兄弟であるロバート・ケネディJr. は「新型コロナのワクチンは決して受けるな!!」と激しく Telegram で主張しています。

ケネディJr. および従兄弟であるロバート・ケネディJr. も熱烈なトランプ支持者です。

　そして、ロシアもワクチンを各国に配っていますが、単なる栄養剤ということです。プーチン大統領が見抜けないはずがありません。

　メディアに洗脳された人々には単なる栄養剤のワクチンを打って安心させることが必要だからです。

　ロシアはアメリカ製のワクチンの中に入っているマイクロチップを取り出して分析し、その回路図を公表しています。下図です⇩⇩（しかし、今はマイクロチップでなくナノジェルが含まれていて危ないとなっている??）。

ATTENZIONE - VACCINO

December 27, 2020

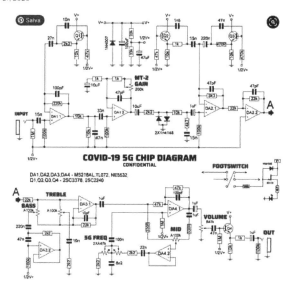

☂〜☂〜☁〜☁〜☁〜☂〜☂〜

　問題は、今も多くの家庭で使われている家庭用ルーターです。

　これも大きな害があると欧米では言われています。

　私の家にはまだ中学・高校の子供がいます。

　家庭用ルーターであっても夜は消すべきとなっています。

　しかし、私は寝ながら Youtube を聞くことが、この15年来
の習慣です。

　どれほどの害であるか、調べているところです。

　下は家庭用ルーターによるアブラナ科の植物の種の発育抑制
です。⇩⇩

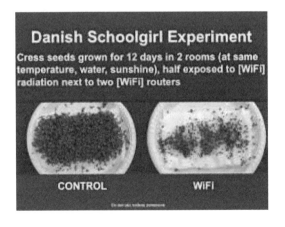

　武漢では世界一大規模な5G（超高周波の電磁波）タワーが
完成し、それが稼働を始めた途端に奇妙な肺炎が流行し始めた。

　武漢は過去に SARS（これはマスコミが造り出した病気であ

って実際はないと思う）が流行った所、そして世界有数のウイルス研究所がある所、その研究所は闇の権力が資金を出して設立された。

　その奇妙な肺炎は正確には2年前（2年前より試運転を時折行っていた）より起こっており、SARSより毒性は弱くインフルエンザより少し毒性が強いか、ほぼ同じ程度であるため、医学者をはじめあまり注目されることはなかった。

　その武漢で全員に接種されたワクチンにはデジタル化された（制御可能な）レプリカのRNAが含まれていました（←日本で今、国民に接種しようとしているm-RNAワクチンと同じものを中国は既に2019年秋に全国民に接種していた!!）。

　このRNAは5Gの60GHzによって活性化されるもので、武漢では5Gがちょうど、開始されたばかりでした。

　結論から先に言う。5G（超高周波の電磁波）による奇妙な間質性肺炎です。

　5G（60GHz）（超高周波の電磁波）はO_2を異常化し間質性肺炎に似た病態を発現するのです。

　もともと5G（超高周波の電磁波）は、アメリカ国防総省が冷戦時代に旧ソ連との電子戦争を想定して開発したもので、いわば「誘導性の電磁波兵器」なのです。

　自律型の装甲車を走らせる際に必要とされる電磁波用のレンズとして開発が進められ、その意味では通信用ではなく、あく

まで兵器としての使用を前提としたものであった。

つまり新型コロナだ!!　と恐怖を煽って、実は5Gだったのです。

5G（60GHz）（超高周波の電磁波）によってO_2が異常化され肺の間質の繊維化が起こる。

ウイルス感染なしに肺の間質の繊維化が起こる（間質性肺炎に似たCT像を取る）。

「5G（超高周波の電磁波）により起こる肺動静脈抹消の多発性塞栓」を新型コロナウイルス肺炎と騒いでいるだけなのです。

武漢においては２年前から5G（超高周波の電磁波）の試運転が時折行われていたのです。

5G（超高周波の電磁波）は様々に生体に悪影響を及ぼす。とくに若年者における悪影響は大きい。欧州（ヨーロッパ）では多くの国が5G（超高周波の電磁波）を中止したが、日本には言語の壁か伝わってない（マスコミは決して言わない）。

5G（超高周波の電磁波）は一切、証拠が残らず、人の肺をダメにするのに最適な方法。

最も深刻なのが、無線電波が体の中に入る事実で、最も憂慮すべき対象が妊婦である。⇩⇩

　成人はある程度、皮膚で電波に耐性を持つが、受精後100日間の胎児は、全く防御のすべがない。

　結果、DNAをやられ、障害を持ったまま生まれる。悲劇はその後で、遺伝として、代々受け継がれることになる（←これは今のm-RNAワクチン接種と同じだ!!）。

5G（超高周波の電磁波）の問題は、ナノレベルで影響を及ぼし、DNAをも傷つけることにある。

　兵器として長時間連続的（断続的）に浴びせたら、体がおかしくなる。

　5Gには少なくとも免疫系の働きを抑える作用（免疫ダウンする）があることは確かである。

　免疫系を抑えるためガンになる。

　狙った人に5G（超高周波の電磁波）を浴びせ、ガンにすることができる（中南米の指導者が相次いでガンで亡くなったのは、このためである）。

　5G（超高周波の電磁波）は直進性が高く、狙った人限定に5G（超高周波の電磁波）を浴びせることができる。

　なぜ、男性が新型コロナウイルス肺炎で死亡することが多いのか？

　これは男性は体内の鉄分が女性よりかなり多く、それゆえに5G（超高周波の電磁波）の影響を受けやすい（つまり、電波塔になりやすい）。道を歩いていて突然倒れる画像（動画）は、全て男性である。

　そして5G（超高周波の電磁波）は指向性が高い。

　ビルの合間で男性が突然倒れるのは、ビルの合間を通った5G（超高周波の電磁波）が鉄分の多い男性を直撃するからだ。

　また、このためターゲットにした相手を狙って倒すことがで

きる。

しかし、ワクチンを打ち、ナノジェルが入ったならば、そういうことは不要になる。

パソコンからナノジェルを動作させればいいからだ。

すなわち、ナノジェルが入ったならば、ゲーム感覚で人を殺せる。

中国ではウイグル人収容所などが外国から強い批判を浴びているため、囚人（すなわちウイグル人のことである）にワクチンを打ち、ゲーム感覚で殺す。

それは楽しい狩りのようなゲームだ。また、パソコンでのコンピューターゲームのような楽しいものだ。

これならば外国から強い批判を受けることはない。

刑務所勤務の人たちは、今までの残酷な行いを全くする必要がなく、そして、それ以上に残酷な行いをパソコンの画面を見ながら楽しくできる。

ゲーム感覚で楽しく囚人（ウイグル人のことだ）を拷問できる。

5G（超高周波の電磁波）で使用している周波数60GHzは、酸素分子を異常化する。

つまり酸欠になる＝突然倒れる。

（↑↑兵器として使用されてきたのは、上のような機序だった）

　暑いにもかかわらず、シンガポールで多く新型コロナウイルス肺炎が起こっていた。

　シンガポールは5G（超高周波の電磁波）が普及しているからだ。暑さ寒さは5G肺炎には関係がない。

　↓↓5G（超高周波の電磁波）だけで、これだけ悪さがある。

①成長細胞に悪影響
②発ガン作用
③ガン細胞の成長促進
④免疫機能の低下
⑤生理リズム阻害
⑥学習能力の低下
⑦異常行動
⑧自殺
⑨神経ホルモンの変化
⑩胎児の異常発育（催奇形性）

　これにナノジェルが加わると、個人を自由に操れるし、個人特定的にガンにさせたり、発狂させたり容易にできる。

　既に中国が完成している。中国では兵士が逃亡することなど不可能である。場所がすぐに分かるからである。5G（超高周波の電磁波）の怖さはどこにでも書いてある。

　本当の怖さはナノジェルが体内に入ってからである。

　ナノジェルが入ると、特定の個人を狙ってガンにしたり、発狂させたりすることが、パソコンの画面上から容易にできるようになる。

　中国では既にそうなっている。

　中国では既に人民総奴隷化が完成している。

　あの広い中国で何百機も5G（超高周波の電磁波）タワーが活動し始めると共に、地球の大気圏の波動が「超高周波」に変わった。

　それゆえのインフルエンザなどの世界的な激減であった。

Point ⑤ 5Gタワーがない所には新型コロナ肺炎は存在しない!?

（2019年秋）中国では、全ての国民に強制的にワクチン接種（予防接種）が行われました。

武漢では5G（超高周波の電磁波）がちょうど、開始されたばかりでした（中国共産党ですから絶対強制でした）。

このワクチンにはデジタル化された（制御可能な）レプリカのmRNAが含まれていましたが、このmRNAは5G60GHz（超高周波の電磁波）によって活性化されるのです。

クルーズ船のダイヤモンド・プリンセスにはとくに5G60GHzが搭載されていました。

つまりこれは、遠隔的な暗殺ともいえます。ダイヤモンド・プリンセスには「deep state（闇の国家）」にとって不都合な人物が乗っていた可能性も考えられます。

エリート層（「deep state（闇の国家）」）がこの5G60GHz（超高周波の電磁波）のことを「V」波（ウイルス：VirusのV）

と呼んでいるのは、あたかも一般市民をあざ笑っているかのように思われます。

　COVID-19とされる電子顕微鏡で見える物質はウイルスではなく、我々の体が病気のときに生産する物質（エクソソーム）です。

　5G（超高周波の電磁波）タワーがない所（例えば田舎）には新型コロナ肺炎（次頁の図）がない。⇩⇩

　PCR検査は適当な検査である。パパイヤでもコーラでも陽性になる（←これを言ったアフリカの大統領は殺された）。⇩⇩

　https://www.bitchute.com/video/sYbvBQyMdL3t/

　そして、PCR検査を開発しノーベル賞をもらった人は「コロナの検査に決してPCR検査を使ってはいけない」と言ったため殺された。

　5Gタワーのない所には新型コロナウイルス肺炎は発生しない↓↓。肺炎だけでなく、様々な障害が5Gタワーのある大都市部では起こっている。

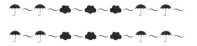

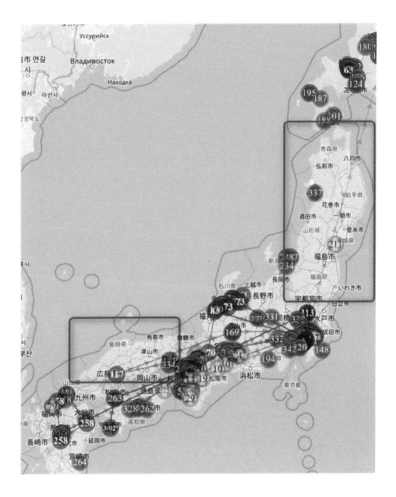

　2020年の５月、新型コロナは5G、と医師専門サイトで言って、変人と呼ばれた男がいた。ブログのアドレスを示し、多くの医師が私の記事を読んだ。

　しかし、誰も認めなかった。「電波人間」との渾名をもらっ

た。

　ただ一人、助け船を出してくださったのが、Youtube で活躍
されている「仮面医師」さんです。「仮面医師」さんは毎週末、
交通費・宿泊費など自分持ちで、全国を講演に歩かれている。

　私はそのブログ記事をバッサリと消され、恐怖を覚え、他の
ことで人のために役立っていこうと、以来、新型コロナのこと
には触れないでいた。しかし、ワクチン接種まで進んでいるこ
とに気づき、再び新型コロナのことを記事にし始めた。

　しかし、今も、変人と言われている。誰も理解しない。

　ブログ記事をバッサリと消されたから、正しいのです。迷い
がありましたが、確信が持てました。

　10年後を見よ。私の正しさが分かる。

　コロナは幻 vvv98982.dousetsu.com

　最後に、これを読んだ人は殺される（かもしれない）。

　もう一度書きます。

　これを読んだ人は殺される（かもしれない）。

　再び言います。スパイク蛋白は自己増殖能を持ちません。タバコの煙のように他の人に伝染するのはスパイク蛋白ゆえだというのはデマです。スパイク蛋白ではなく、5Gの「超高周波の電磁波」が伝染するのです。それが感染したように思ってしまうのです。

　デマの出所は闇の権力ではないでしょうか？　スパイク蛋白は自己増殖能を持ちません。

　ですから、ワクチンを受けなかったら、大丈夫です。

　ウイルスとは「超高周波の電磁波」なのでしょうか？

　今回のコロナ騒動は5Gの害を隠すのも一つの目的です。

　そして、先日（1ヶ月前）まであった「新型コロナは5G（超高周波の電磁波）」と詳細に書かれてあった、日本人男性のホームページが消されている。

　私のホームページも消されるかもしれない⇩⇩

　http://vvv98982.dousetsu.com/index.html

　そして

　https://note.com/toshichan_man_07/

「コロナは茶番」は言っていいけど「コロナは5G（超高周波の電磁波）」は決して言ってはいけないのです。

5G（超高周波の電磁波）はこれからの巨大利権です。

5G（超高周波の電磁波）の害を隠すことも今回のコロナ騒動の一つの目的です。

Point ⑥ 闇の権力の目的は ワクチンを打つこと！ 何のために？

　ここにコロナワクチンが出現した。闇の権力はこのワクチン を打つことが目的だった。

　もう一度書く。

　闇の権力はこのワクチンを打つことが目的だった。

　ナノジェルを入れたワクチンを打つことにより、5G（超高 周波の電磁波）とナノジェルで個人を自由自在に操れる、心を 自由に操れる、すなわち人民の完全家畜化が完成するのです （中国14億人、既に完全家畜化が達成されているのです）。

　国家に刃向かうものはパソコンから選択的にゲーム感覚で極 簡単に殺せる。

　誰かが服従していないと見なされた場合に、その人の臓器機 能を遠隔で停止させることができる。

　あってはいけない存在と分かると簡単に殺せる……これがナ ノジェルと5G（超高周波の電磁波）で簡単にできる。

　その殺し方も自由に選べる。

　ガンにして殺す、発狂させる、自在にできる。それもパソコ ン上でです。ゲーム感覚で行えます。

COVID-19感染者は、ウイルスで死ぬのではなく、5G光線（超高周波の電磁波）で血栓症が引き起こり死に至るとの発表をロシア保健省がしました。ワクチンは控えたほうがよさそうです。

　ただ、ネットに転がっていたとされるロシア保健省のものとされる文書の信憑性はあるのか？

　（調べたが、ロシア保健省のサイトには載っていなかった。ロシア保健省が「deep state（闇の国家）」に負けることは考えにくい。元から載っていなかったのだ）

　たしかにイタリアでは70体の解剖後、治療法は自宅での「バイアスピリン、抗炎症剤（そしてなぜか軽めの抗生物質も加わっていた）」の投与に変わった（このことはネット上、公開されていたはずであるが、なぜか完全無視された）。

　ネットで「ロシア保健省・Ministry of Health of Russia」で検索して出てくるところにこの文章は書かれてない。

　イタリアの1年前の出来事から誰かが考えてネットに載せたものと思われる。

　と言うより、イタリアのそのままではなく、少し改変して、ネットに載せたと思われる「特殊な細菌が関与する」という間違いを書いている。

　間違いが書かれてあるから、焦点逸らしになると考えられ、

削除されず、放置されたのだろう。

　細菌は関与しない。

　5G（超高周波の電磁波）により酸素が異常化するのである。

　──イタリアでは「絶対行ってはいけない」というWHOの滅茶苦茶な指令を無視して解剖を70体に行い、97％は肺の末梢動静脈の多発性塞栓が死因であった。

　プーチン大統領ならコロナ騒動のおかしさが分かるはずである。

　プーチン大統領はロシアの秘密諜報員だった。

　5G（超高周波の電磁波）が殺人兵器であることは常識として知っているはずである。

　ロシアにおいても全く無害なワクチンを開発した（単なる栄養剤。コロナ報道を真に受けている人民にはワクチンを打って安心させるしかないとプーチン大統領は判断したらしい。

　ところが、これをマスコミは、とんでもない被害が出る〝トンデモ〟ワクチンと報道している。

　マスコミを信じてはいけない。そして周辺諸国に配ることを知り、私が尊敬するプーチン大統領は偽装を使っていると今も確信している。

　既に1年前、イタリアでWHOの「決して遺体を解剖してはいけない」という滅茶苦茶な命令に逆らって、解剖した。繰り返しになるが、重要な情報だ。

イタリアは中国の武漢に次いで5G（超高周波の電磁波）の普及が早かった地方です。

　また、イタリアは武漢に次いで奇妙極まりない肺炎が猛威を振るいたくさんの人が亡くなった地方です。

　そして97％は肺の末梢動脈の多発性血栓で死んでいることが分かりました。

　そのため、イタリアでは「血栓ができにくくするバイアスピリン、抗炎症剤（アセトアミノフェン、老人によく使われる軽めの抗炎症剤）、そして軽めの抗生物質」を与えるのみで入院なしに、治療法が変わりました。

　ところが、このイタリアの発見は全く報道されていません。ネットに上がった情報も発見次第、すぐに消されました。

　闇の権力には非常に不利だったからです。私はそのネットに上がった情報をコピーした。

　それは2020年の５月頃でした。コピーしたそれを自分なりに纏めてブログに上げると、記事ごとバッサリと消され恐怖を覚え、この問題には関わらないようにしようと決めた。

　他のことで病気などに悩む人を救っていこうと決めた。そして１年近くが経過した。

　しかし、コロナ騒動は収まる気配がなく、ワクチン接種まで進んでいることに気づき、正義感から再びコロナ問題にも触れることにした。

　イタリアにおいても、5G（超高周波の電磁波）の普及が遅い地方は新型コロナ肺炎はなく（または少ない）、また、火山灰土の地方も新型コロナ肺炎がない（または少ない）ことが確認されました。

　日本の多くは火山灰土です。

　BCG 予防ワクチンを日本は受けているから新型コロナ肺炎が少ない（軽い）のもありますが、火山灰土であることも大きく影響しています（火山灰土が5G ＝超高周波の電磁波を吸収するということらしい）。

Point ⑦ 5Gが地球に、人類に、もたらすものとは!?

　今、日本でも5G（超高周波の電磁波）タワーが次々にできています。欧米では5G（超高周波の電磁波）タワーは危険と次々に廃止になっています（マスコミは放送しません、日本人は少なくとも末端は知りません）。

　前述したように日本でも5G（超高周波の電磁波）タワーがある所には新型コロナ肺炎が起こっており、ない所には起こっていない。

　欧米で5G（超高周波の電磁波）が禁止になったのは、スイス・ベルギーなどの国になります。

"5G" IS A PROVEN MILITARY WEAPON

 NON-LETHAL WEAPONS PROGRAM
U.S. DEPARTMENT OF DEFENSE

Q9. Does this system work like a microwave oven?

A9. No. The ADS, a non-lethal directed-energy weapon, projects a very short duration (on the order of a few seconds) focused beam of millimeter waves at a frequency of 95 gigahertz (GHz). A microwave oven operates at 2.45 GHz. At the much higher frequency of 95 GHz, the associated directed energy wavelength is very short and only physically capable of reaching a skin depth of about 1/64 of an inch. A microwave oven operating at 2.45 GHz has a much longer associated wave length, on the order of several inches, which allows for greater penetration of material and efficiency in heating food. The ADS provides a quick and reversible skin surface heating sensation that does not penetrate into the target.

https://jnlwp.defense.gov/Press-Room/Fact-Sheets/Article-View-Fact-sheets/Article/577989/active-denial-technology/

SCIENTIFIC AMERICAN.

One difference will be that 5G may move wireless signals to a higher frequency band, operating at millimeter-length wavelengths between 30 and 300 gigahertz (GHz) on the radio spectrum. That's going to open up a huge amount of bandwidth and alleviate concerns about wireless traffic congestion. Radar, satellite and some military systems use this area of the

（2019年秋冬にアメリカでインフルエンザが猛威を振るったのは、これだ!!　スペイン風邪と同じのが流行したとされていたが）

船瀬俊介氏のコロナ関連本には問題がある。氏は「新型コロナが造られた」と書かれているのである。身を守るための偽装かもしれないが??　真実は、5G（超高周波の電磁波）のみである。

　トランプ大統領の指導の下、アメリカでは危険のない5G（超高周波の電磁波）が開発され、それが使われるようになったと情報を得ましたが、日本では全くそのような動きはありません。

　日本はいまだに「deep state（闇の国家）」と中国共産党の支配下なのです。5G（超高周波の電磁波）が犯人ですから、もちろんワクチンは不要です。百害あって一利なし、です。それどころか、殺されます。私は絶対に拒否します。

　超巨大利権である5G（超高周波の電磁波）が人命よりはるかに大事なのだろう。今回の新型コロナ騒動は劇場の見せ物程度に過ぎない。人口を10分の1にすることが彼らの希望だか

らだ。

　日本政府も「deep state（闇の国家）」には逆らえない。世界を牛耳っている「deep state（闇の国家）」。

　中国では5G（超高周波の電磁波）が全国に完備されたらしい（ナノジェル入りのワクチンは既に2019年の秋に全国民に接種済み）。14億の人民の完全奴隷化が完成している。

　その途中で多くの人が5G肺炎（新型コロナ肺炎と言われる）を起こして死んだと思われるが、彼らにとって中国は人口が多すぎる国、人口が減ったほうがいい国ということか……。

　イタリアでは、いわゆる世界的なパンデミックがWHOによって捏造されたことが明らかになっています。

　この治療法は、中国共産党は既に知っていて、世界制覇のために報告しませんでした。

　この情報をご家族、ご近所、お知り合い、ご友人、お勤め先、同僚、一般の方々にお伝えください。

　もし彼らがCOVID-19になったら……彼らが信じさせられているようなウイルスではなく、5G（超高周波の電磁波）であり……炎症と低酸素を生み出す5G（超高周波の電磁波）で増幅されたものである。

　5G（超高周波の電磁波）が血栓を引き起こし、体に血栓症を発症させ、血液が流れず、心臓や肺に酸素が供給されず、その結果、呼吸ができずに死んでしまうことが明らかになりました。

こういった情報に辿りつくには、5G&Corona さんの Twitter
も参考になります。

https://twitter.com/5gCoronasecret

　しかし、5G&Corona さんも「インフルエンザと5G（超高周
波の電磁波）の組み合わせで新型コロナ肺炎になる」という間
違いを書かれています。それゆえに、消されずに放置されてい
るのかもしれません。

　一方で、こういう正論を述べるためか、この医院は潰れた。⇩⇩

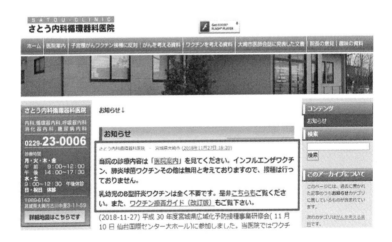

　アメリカの防衛システムにより香港風邪が起こったとする説
（これはラジオだろう??）。⇩⇩

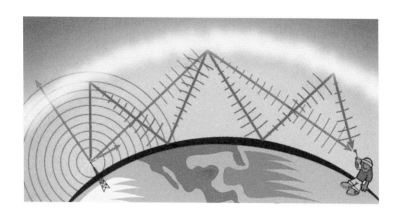

〈5G（超高周波の電磁波）が世界中のミツバチを全滅させる。そして世界大飢饉が起こる〉

　5G（超高周波の電磁波）は都会にしかないが、ミツバチは田舎の田舎にしかいない。

　都会の5G（超高周波の電磁波）がどういう機序で田舎の田舎のミツバチを全滅させるのか??　この機序が分からない。上図のような機序なのか↑↑。

　地球の大気圏内の「高周波の波動」が原因。5Gの超高周波でミツバチが全滅し、大飢饉が起こる。

　これならば、2020年の４月頃よりインフルエンザなどが滅多に起こらなくなったことが説明できる（多くのウイルスが死に瀕したことが説明できる）。

　大気圏の波動が超高周波になり、ミツバチが全滅し、花粉の

受精ができなくなり、食糧危機が起こると警告されている（支配者たちは大金持ちであり、食料飢饉が起こっても飢えることはない）。しかし、世界には5G（超高周波の電磁波）タワーがどんどんと立っている。人類は利権を追い求め、自殺への道をたどっている。自分さえ良ければいいという考えで、5G（超高周波の電磁波）を導入している。

　自分さえ良ければいい……支配者たちは、このような考えなのだろう。我々は家畜に過ぎないのか？　我々は家畜としての幸せを追い求めるに留まるのか？
　家畜の幸せ……家畜の幸せ……家畜の幸せ……

　昭和の終わり頃、国民総中流という時代があった。あの頃は良かった。家畜としての幸せだったが……あの頃は良かった。日曜日には釣り場は家族連れで溢れ、幸せだった。家畜の幸せ……家畜の幸せ……家畜であることを知らずに比較的幸せだった。

　あの時代は平日は深夜まで猛烈に働き、しかし、日曜日（その時代は土曜日は半ドンだった）は家族を連れて（私は子供だった）魚釣りへ行く日々。比較的幸せだった。家畜の幸せ……家畜の幸せ……

　家畜の幸せでいい。太平洋戦争前の大変な時代、貧しい家庭の子女は外国へ売春婦として売られ、若くして、梅毒などで亡くなった。稼いだ金を日本の両親の元へ送り、若くして、梅毒などで亡くなった（このことを思うと涙ぐむ）。

　今は第３次世界大戦（コロナ戦争）の真っ只中。家畜の幸せも、太平洋戦争前の大変な時代、太平洋戦争中のようにない。

　温暖化＝超高周波化
　温暖化の嘘↑↑

　金与正さんがTwitterに書いていた。「トランプ大統領が勝っても闇。バイデンが勝ったら途方もない闇（希望も何もない闇）」と。
　人の体はウイルスが一杯（細菌が一杯であることは認識されているが、ウイルスで一杯なことはあまり認識されていない様子）。ウイルスは超高周波に非常に弱い。
　インフルエンザ感染などウイルス感染激減は電磁波に非常に強い人工の新型コロナが造られ蔓延したためと考えていたときもある。しかし、前述したが、新型コロナを造ってばら撒いたなら、支配者側までやられてしまう。新型コロナは弱毒性とは

言え、支配者は高齢者が多く、新型コロナにやられてしまう。新型コロナは造られていない（少なくとも培養器の外には出ていない）。

5G（up to 95GHz：超高周波の電磁波）のみである。しかし、5G（超高周波の電磁波）は大気圏内の波動を超高周波にする。4G（up to 2.5GHz）の10倍以上は必ず行く。大気圏内の波動は4Gによっても海の魚の生息に変化をもたらしていた（大気圏内の波動の高周波化が海水の波動も高周波化したのだ）。温暖化と考えていたが、大気圏内の波動の高周波化だった。

同じく、大気圏内の波動の高周波化により、うつ病性障害・不安障害の激増、心の不安定化をもたらした。原因は食事の欧米化ではなかった。大気圏内の波動の高周波化だった。

4Gでさえ、人の棲む世界は悪化していた。しかし、4Gの頃は、海や山へ行けば、心も体も元気になっていた。

しかし、5G（超高周波の電磁波）の時代になると、海や山へ行っても、心と体は超高周波され、社会は心の荒れ果てた人々で満ちるようになるだろう。争いに満ちた社会が訪れる。虐めと不登校がさらにさらに蔓延する社会になる。昔はなかった虐め・不登校の出現（2G〈1991年〉だろう）は、大気圏内の波動の高周波化だった。

携帯が出現する前の時代、既に2Gが始まっていた。いや、2Gから携帯の出現だろうか？　あの頃（1991年）、既に、う

つ病性障害の増加が始まっていた。

　昔は、認知症・難聴はなかった。私の曽祖母は101歳まで生きたが、認知症・難聴は全くなかった。昔は、認知症・難聴はほとんどなかった。

　肉食が健康に良いとは昔は言われていなかった。昔は禅僧など菜食主義で100歳まで元気に生きた。大気圏内の波動の高周波化により菜食主義が健康に良くなくなり、欧米食が健康に良いと言われるようになった（←たしかに、こう変わった）。

　これならば5G（超高周波の電磁波）の使用開始は人類滅亡への道ではないか？？？

　陰謀論者の多くが語るように「闇の権力が新型コロナを造った」のでは、闇の権力も死に瀕してしまうことになる。

　たしかに新型コロナ（他のウイルスを駆逐する非常に強い人工ウイルスとすると）が造られ、世界中に蔓延したとすると、他のウイルスが死に瀕したことの説明になり得る（←最初はこう考えた）。

　しかし、細菌の場合、潤った培地が合う細菌と、乾いた培地が合う細菌がいるように、適した培地（場所）がある。

　ウイルスにも適した場所がある。前掲したが、下図では家庭用ルーターでアブラナ科の植物の種が生えなくなる。⇩⇩

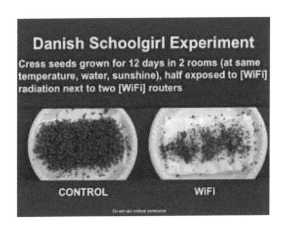

全てのウイルスは高周波に非常に弱いらしい。5G（超高周波の電磁波）の普及はそれゆえに人類絶滅への道のような気がする。エイズウイルスもなぜか発展途上国（電磁波が少ない、ここでは大気圏内の波動を考慮しない）で蔓延した。

支配者はインターネットにより、家畜を覚醒させるという大失敗を犯した。これは支配者に致命的だった。昔、インターネットのない時代、我々は支配されていることに気づかなかった。我々は民主主義という幻想に酔っていた。

人の体は細菌が必須のように、ウイルスも必須なのである。それも善玉のウイルスが必須なのである。

トランプ前大統領も「私の持ち家では5G（超高周波の電磁波）は使わせない」と言っています。なぜか、トランプ大統領とイスラエルのネタニヤフが一緒に写っている写真がある。イ

スラエルのネタニヤフは極悪とリチャード・コシミズ氏、ベンジャミン・フルフォード氏から教わってきたのだが。単なるデマだったのか？

　民族主義が今は叫ばれている。ロシアのプーチン大統領・アメリカのトランプ前大統領・日本の安倍元首相が民族主義の3巨頭と外交官で防衛大学教授もしていた人（←この人は信じられる）は言っている。

　私は中国の日本侵略を防ぐには、安倍氏の三度目の首相登場しかないとブログで主張してきた。しかし、笹原俊氏は「安倍さんは処刑された」と主張する。どちらが正しいのか全く分からない。

　支配者は支配者としての幸せを求めよ。我々、家畜は、家畜としての幸せを求める。どちらが幸せなのか、全く分からない。
　腸チフス・猩紅熱はワクチンが使われてないのに、消滅しました。電磁波（高周波の波動）がそれらウイルスを殺してしまったのです。⇩⇩

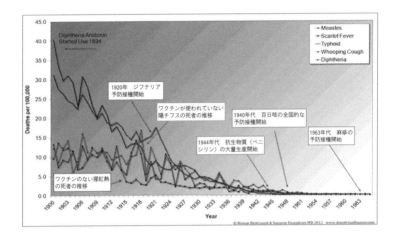

　手足口病・ロタウイルスはおそらく、その頃の地球に起こっ
た大気圏内の「高周波の波動」に敏感だったらしく、激減して
いる。⇩ ⇩

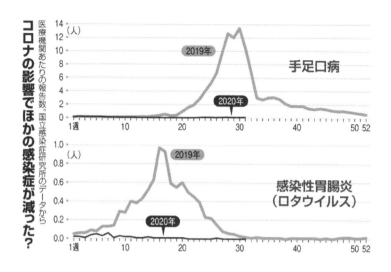

コロナの影響でほかの感染症が減った?

医療機関あたりの報告数。国立感染症研究所のデータから

手足口病

2019年

2020年

感染性胃腸炎
（ロタウイルス）

2019年

2020年

　コロナウイルスを99.99％殺すという LED。⇩⇩　ある波長
の光はコロナを殺す。

　天然痘にワクチンは効いていない決定的な証拠。⇩⇩　天然
痘は（高周波の波動）で撲滅された!!⇩⇩

　しかし、こう言うとおかしな人と思われるらしい。その理由
が分からない。

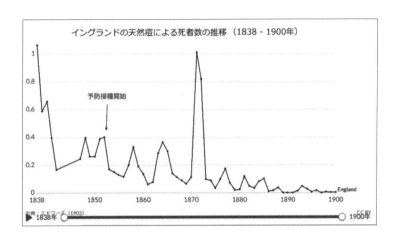

天然痘は1870年頃に今までの免疫が効かないように少し変化した（変異株が現れた??）のか急激に増えている。⇩⇩↑↑ピークは国により１年ほどのズレがあるため、空気感染らしい。⇩⇩↑↑

　それとも、この増加は大気中の電磁波（波動）の変化によるものか??

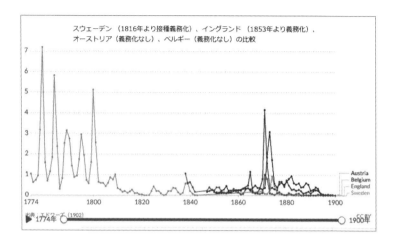

ワクチンが効いているというより、「高周波の波動」が効いてるらしい。⇩⇩

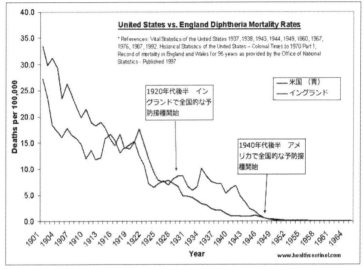

ジフテリア

ワクチンよりも波動により麻疹は激減しているらしい。⇩⇩

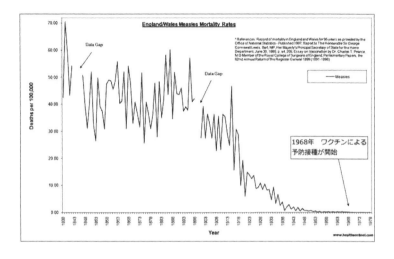

2020年の春に地球の電磁波の変化が起こったと考えられる。
⇩⇩そうしてインフルエンザの激減らしい。⇩⇩　5G（超高
周波の電磁波）の開始により、大気圏内の「超高周波の波動」
が起こったのである。⇩⇩

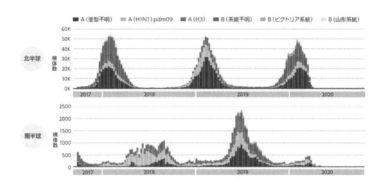

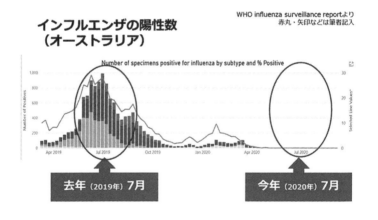

　地球の大気圏の「超高周波の波動」への変化が、5G（超高周波の電磁波）を使い始めると共に起こったと考えるのが、妥当であろう。

厚生労働省に報告のあった インフルエンザ患者数

	今年	昨年同時期
10月26日〜11月1日	32	4682
11月2〜8日	24	5084
9〜15日	23	9107
16〜22日	46	1万5390
8月31日〜11月22日の合計	217（人）	7万 886（人）

インフルエンザの 患者報告数

単位人、■は流行シーズンに入った週。第○週はおおよその時期。厚生労働省まとめ

年	11月第1週	第2週	第3週	第4週	12月第1週	翌年にかけてのシーズン累計（推計）
2020	24	23	46	46	63	?
19	5084	9107	1万5390	2万7393	4万7200	729万
18	1705	1885	2572	4599	8438	1210万
17	2588	3799	7280	1万2785	2万127	2257万

先週のインフル患者報告数は65人
昨年より非常に少ない状況続く

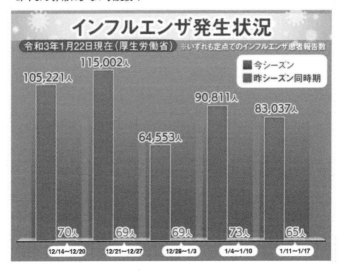

ウイルスにより「超高周波の波動」への感受性が異なること
を示す。⇩⇩

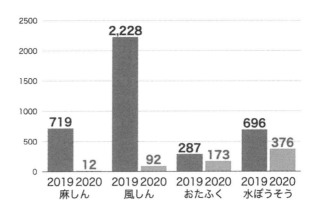

・病気があろうがなかろうが、誰でも簡単に陽性者の烙印を押されます。
・陽性者になると、家族、友人・知人、会社まで強制的に調べられます。
・病院に閉じ込められ、面会が禁止されます。
・重病の場合には人工呼吸器にかけられ、死亡率がグンと増加します。
・死亡しても、「危険だ」との理由でろくに真の死因特定は行われません。
　すべてコロナ死にされます。
・死亡すると、お骨になるまで家族に会えません。

PCR検査を受けてはいけない これは壮大な医療詐欺なのです

PCR検査が詐欺の理由

・PCR検査で検出するとされている「ウイルスの遺伝子」は、中国人が
　10日ででっち上げたいい加減な「科学論文」によるものです。通常は
　半年から1年です。
・米国疾病対策センターの文書にも、PCR検査がアデノウイルス（風邪
　ウイルス）等に反応することが記載されています。
・検査陽性者の80％に何の症状もありません。
・検査陽性者の半分は、感染経路が不明です。
・陽性死亡者の平均年齢は75歳以上であり、そのほとんどにコロナ以外
　の深刻な既往症がありました。
・一人の人を連続して検査すると陽性・陰性が反転します。
・発明者でさえ、「使ってはならない」と言い残しています。

この検査を感染症診断に使ってはなりません

ダメ！絶対！

PCR検査発明者
1993年ノーベル化学賞受賞者
ドクター・キャリー・マリス（2019年没）

新聞・テレビは不都合なことは報道しません。
ネットにはたくさんの情報がありあます。
詳細を知りたい方は、例えばYouTubeを
「学びラウンジ」で検索、徳島大学の
大橋眞名誉教授（免疫生物学）の話が聞けます。

間質性肺炎に似た新型コロナ肺炎（5G 肺炎）の CT 像。⇩⇩

図2　UIP patternのHRCT所見

　欧米では「コロナは5G（超高周波の電磁波）である」と気づいているのに、日本では誰も言わない。

　今まで欧米で666人「コロナは5G（超高周波の電磁波）である」と言って、殺された。

　マスコミは情報を完全にシャットアウトしている。英文を訳すしかない。

　下図は、単純に「5G（超高周波の電磁波）は人類にとって
非常に危険である」とのデモ。

　欧米では多くの国が5G（超高周波の電磁波）導入を反対し
ている（マスコミ完全シャットアウト）。

　5G（超高周波の電磁波）はUpto 95GHzであることに注目!!⇩⇩

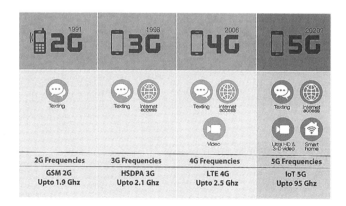

中国武漢市は、コロナウイルスの発生の数ヶ月前に特別な「5G（超高周波の電磁波）デモンストレーションゾーン」に指定されました。

https://plaza.rakuten.co.jp/555yj/diary/202002250000/

なぜか、男性ばかりが、突然倒れて死ぬ。⇩⇩

男性は血中鉄が多く、電波塔になりやすい。

　ダイヤモンド・プリセス号には5G（超高周波の電磁波）タ
ワーが2機あった。⇩⇩

　今は、after 5G（超高周波の電磁波）の手前。⇩⇩

武漢は5G（超高周波の電磁波）のパイロットシティーで1万基が展開

↓

60GHz のミリ波（5G〈超高周波の電磁波〉）は O_2 を異常化（＊）する

↓

呼吸して取り込んだ人の内部の O_2 が、突然異常化されたら、肺胞から血液に O_2 が供給されず、即死する

↓

O_2 破壊（電子のスピンが止められる）の程度問題で、不調（肺呼吸）が生ずる

＊インフルや他の病気（持病）のコンビでより効果的に、あとは、ひたすら、コロナのせいにして、ワクチン、ワクチンと騒ぎ、強制接種に持ち込むと、全人類完全奴隷化が完成する。

　ワクチン接種すると子供はできなくなる。
　ワクチン接種直後の副反応は微々たるもの。問題は遺伝子操作による数年経ってからの副反応である。ガンになったり、認知症になったり、など自由にできる。しかもパソコン画面上から。遺伝子操作であるから死ぬまで残る。

　中国が悪いのではありません。中国の国民は一般に善良です。悪いのは中国共産党です。もう一度書きます。悪いのは中国共産党です。

　1年前、医師専門サイトで「コロナは5G（超高周波の電磁波）」と言って蔑まれ「電波人間」と渾名された男がいた。そのとき、私に唯一人、助け船を出してくださったのが、Youtubeで活躍されている「仮面医師」さんです。

　欧米では多くの人が「コロナは5G（超高周波の電磁波）」と主張しています。しかし、日本では「コロナは5G」と主張する人は船瀬俊介さんと私だけと思う。船瀬俊介さんは人工的にコロナウイルスが造られた、それと5G（超高周波の電磁波）の合わせ技と主張されているらしい。私は5G（超高周波の電磁波）のみという主張です。

　10年後を見るがいい。私の主張が正しいことが判明する。

　ブログ（https://ameblo.jp/mmm82883007/）で主張していますが、分かる人はほとんどいない様子。変人との非難は強い。

　10年後を見るがいい。

（追記）

　フランスではすでに、国立図書館をはじめとするパリの複数の図書館と大学、多くの自治体の建物や小学校でもWi-Fiネッ

トワークを完全に撤去してしまった。

　4Gまでは許容範囲だろう。しかし、5G（超高周波の電磁波）は危険。5G（超高周波の電磁波）の危険性の認識が全くない日本の未来は暗黒である。

　知らぬ間に、日本中に広がっている5G（超高周波の電磁波）は、危険である。コロナ以上に危険である。コロナよりはるかに危険である（コロナは軽い風邪のウイルスで全く危険ではありません）。

　しかし、5G（超高周波の電磁波）よりはるかな脅威がある。それは中国共産党である。中国共産党の日本侵略である。既に侵略は終わったのかもしれない。

　https://note.com/nogi1111/n/n43112ecc6bb1

5Gとワクチンの合わせ技で
起こることとは⁉

【ファイザー社の新型コロナワクチン】

報告書

新たに以下のことが報告された。

ファイザーの新型コロナワクチンがアルツハイマー等の神経変性疾患を引き起こすことが分かったのだ。

これについてCDCに問い合わせたがCDCからの回答は得られなかった。

そして、認知症が数年経ってから起こります。数年経ってからなので因果関係はつかめません。mRNAワクチンはそういうことが容易に行えるのです。

武漢では2017年、5G（60GHz）を試験運用したときから奇妙極まる肺炎の発生が確認されていました。

武漢での住民への強制ワクチン接種（住民全員）は2019年の10月です。このワクチン接種により、新型コロナ肺炎が起こりやすくなったらしい（このワクチン接種により新型コロナ肺炎が起こりやすくなったのです）。

決してワクチンは受けてはいけません。

　そして PCR 検査は全くのデタラメです。アフリカの大統領が殺されたように PCR 検査は全く当てにならない検査です。おそらく PCR 検査の棒の先にマイクロチップが付けてあると私は推測しています。

　5G（超高周波の電磁波）と組み合わせることによって新型コロナ肺炎が起こるという意見はおかしい。5G ＝超高周波の電磁波単独で新型コロナ肺炎が起こる。

　今は新型コロナ肺炎を問題視する段階ではありません。新型コロナワクチンを打つことにより、不妊症・ガン・認知症などが起こることです。彼らは世界の人口を 5 億まで減らしたくて堪らないのです。

　彼らは決してワクチンは受けません。「deep state（闇の国家）」の連中は決してワクチンは受けません。

【コロナワクチンを接種した教師は採用しない（米私立学校）】

　報道ではさっそく誤情報の記事で満載。ソーシャルメディアは次々と削除している。

　学校側は教師と生徒・保護者に e-mail で配信したという。

　そして、学校の教師にはワクチンを打たないように説明した。

　コロナワクチンを打った人間から打ってない人間にタバコの

煙のように感染し妊娠中の人の流産が多く確認されたという。

　調査し全てが明らかに判明するまでは学校側は考えを変えないと言っている。

【元ファイザーの副社長（＊）の内部告発】

（要約）

　新型コロナ変異種は存在しない。（←変異種が存在しないとは言外に新型コロナは存在しないと言っている）

　PCR検査はパパイアやコーラでも陽性になる。デタラメな検査だ。

　この騒動を起こした支配者層の目的は経済を崩壊させ社会を分断しワクチンパスポートで管理社会を作ること。

　政府・政治家・メデイア全部支配者層の仲間である。

　この茶番パンデミックの真実を明かし世界中の国民が知れば今すぐ普通の生活に戻れる。

　新型コロナのワクチンは遺伝子組み換えで5年後重大な副反応が起きるので絶対に打ってはいけない。

　https://karyukai.jp/wp-content/uploads/2021/04/IMG_6612.mov

　https://ameblo.jp/wake-up-japan/entry-12347157051.html

　このリンク、重要！！！

5G（超高周波の電磁波）によりインフルエンザと似た症状になるという文献はある。

　タイトル未設定 www.jrseco.com

＊役職を開発部長とする記事もあるが、本書では副社長と記す。

　スパイク蛋白が人類を次第次第に滅ぼす。子供ができなくなるからだ。

　このスパイク蛋白は史上最強のウイルス（人工）と言っていいだろう。

　子供ができなくなるからだ。

　ワクチンに入っているスパイク蛋白が脅威であり、人類を滅ぼすだろう。

　スパイク蛋白はタバコの煙のように他の人に伝染する。

　人類は子供ができなくなり、静かに滅亡する。

　戦争で死ぬよりはるかにいいが。

（ここでも言うが、スパイク蛋白は自己増殖能がない。自己増殖能があるのはウイルス〈マイコプラズマの間違い、ウイルス学者は宗教のように洗脳されている〉。ワクチンの中にウイルスが含まれているのである）

「deep state（闇の国家）」は人民の30％ほどがワクチンを打つ

と中に入っているスパイク蛋白（←マイコプラズマの間違い）が人類全員（一人残らず）に行き渡ると見込んでいた。そうして人類全滅することを見透していた（←悪魔だ‼）。

　多くがワクチンを打つことを拒否することを見抜いていたからだ。

　しかし、タバコの煙のように他の人に伝染すると、スパイク蛋白は人類全員に行き渡る。

「タバコの煙のように他の人に伝染するスパイク蛋白」はデマらしい。岡田政彦名誉教授は一笑に付されました。
「スパイク蛋白は自己増殖能はない」と。

　彼らはあの手この手でワクチンを打たせようとしてくる。
「打っても打たなくても同じ、それなら打ってもいいかな」と思わせる狙いらしい。

　情報発信元はアメリカのウイルス学の教授らしいが、あちら側であり、狙いは「諦めさせてワクチンを打たせる」ことらしい。

　ワクチンを打ちさえしなければ、ナノジェル（以前はマイクロチップと言われていた）は体内に入ることはない。

　私は「タバコの煙のように他の人に伝染するスパイク蛋白」と聞いたとき、「ワクチンの中に本物のウイルスを入れてるな？」と思いましたが、5Gの**超高周波の電磁波**がそばにいる

人を感染したようにするらしい。

スパイク蛋白が伝染したのではなく、5Gの**超高周波の電磁波**が伝染しただけです。

自分が打つと家族にスパイク蛋白が伝染していき、家族全員が感染する、というのはデマ。5Gの「超高周波の電磁波」が一時的に伝染しているだけらしい。

ワクチンを打つと5Gに敏感になることも関係しているらしい。

インフルエンザ感染と同じと考えたらいい。一時的なもの、長くても5日ほどのものでしょう。

200人のアメリカのウイルス学の教授が殺され、後釜に製薬会社の言いなりとなる者が教授として納まり、ウイルス学が発展した。ウイルス学とは幻として、どこまで信じてよいかの判断をしなくてはならない。

「ウイルスはない」は確実です。

前述したようにインフルエンザは5Gスタートと共に絶滅状態になりました。普通の風邪さえ、起こらなくなりました（インフルエンザだけでなく普通の風邪のウイルスも5Gの「超高周波の電磁波」で絶滅状態なのでしょう）。

仮面医師さんも、私が「コロナは5G」に固執するので、半分袂を分かっている。「corona 5G」で検索したら、たくさんサ

イトやブログが出ている。

　欧米では「コロナは5G」と皆が認識しているようです。日本人だけ認識できていない様子。

　ですから、英語版の『コロナは幻』は必要ないらしい。欧米では「コロナは5G」は常識で決まりです。

　目が潰れた鳥が多数、発見されている。

　もちろん、5Gの影響です。5Gに最も敏感なのが目の網膜。「超高周波の電磁波」で目の網膜がやられてしまうのです。

　鳥はどんどん目が見えなくなって死んでゆく。5Gは目の網膜が一番急所となる。

　http://vvv98982.dousetsu.com/999.html

okabaeri9111 • @EriQmapJapan
6d · ♂

コロナワクチン接種により、世界中で多数の死者が出ています。
コロナワクチンは、接種後5年以内に90％の人間が死ぬように設計されています。
それは、そもそも "コロナ(人工ウィルスのばら撒き→強制ワクチン接種)"
が、"殺人化学兵器" を使用したバイオテロだからです。

"コロナ"と名付けられたこの「大量殺人計画」は、地球人口9割削減を目的として1980年以前から計画されており、世界中の政府(日本も含む)を乗っ取った悪魔崇拝者(政府関係者ら)を中心に、製薬会社などの医療マフィア、TV/新聞などの洗脳マスメディア、大衆を騙すための説得力獲得目的で意図的に有名/高学歴になっいる知識人/医学博士などの詐欺師ら特権階級が、共謀して実施しています。

5人の医師がコロナについて話し合っている、海外の動画です↓
bitchute.com/video/WAYyYeUS5bIP/

[概要]
ワクチンを打った後9週間くらいで、その人の体は恐ろしいコロナ培養器になり、そばにいる人を殺せる体になります。
息や汗、唾液などが、ワクチン接種と同じくらいの打撃を与える "殺人兵器" になるのです。

自己免疫システムが破壊されるので、インフルエンザや癌、その他あらゆるものに対して免疫が効かなくなり、病気への抵抗力がなくなって、死に至ります。

ワクチンと呼んでいるこの物質は、ワクチンではなく "殺人化学兵器" なのです。

自己免疫システムを破壊する上に、ワクチンの中には癌やポリオ、インフルエンザ、肺炎などなど、ばい菌が山のように入っているので、死なない方がおかしい。

2回目のショットで死ぬ人が多いのは、1回目のショットで免疫を破壊されるために、これらのばい菌や病原体で死ぬからです。

そして、子供を産む機能は全てなくなります。
男性は、精子が全て死に絶えました。
女性は、子宮が機能しなくなり、生理がめちゃくちゃになります。
ずっと生理状態になったり、小さい子供に生理が来たりと、めちゃくちゃになります。

「ワクチンを打った人と同居していた88歳の母が、コロナにかかって死にました。そのワクチンを打った人から移されたコロナで死んだのです」...このように、ワクチンを打った人は、周りの人々を殺す "殺人兵器" になります。

スパイクプロテインは、決して死にません。
医学的に例を見ないケースなので、医者はこれに対し何もできません。

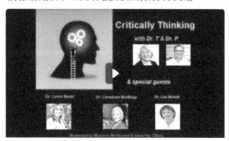

URGENT! 5 Doctors Agree that COVID-19 Injections are Bioweapons and Discuss What to do About It

⚓ BitChute   View Link Feed

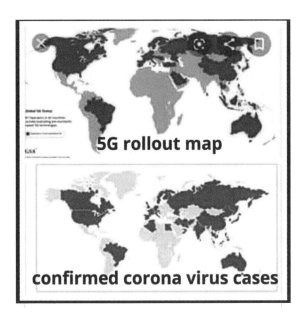

PCR検査は極めて適当な検査。パパイアでもコーラでもガソリンでも水でも陽性になる。

こういうコロナ騒動に用いると便利という検査方法があったから、これを用いろ!!　という命令がWHOより出されたらしい。現場の医者は「PCR検査がパパイアでもコーラでもガソリンでも水でも陽性になる」ことはおそらく誰一人知らなかった。

知っていても、上からの命令だから、従わざるを得ない。

（スパイク蛋白）＝（人工ウイルスでなくて人工マイコプラズマ）

　ヨーロッパでは複数の国（そして国でなくとも複数の都市）で5G（超高周波の電磁波）は禁止されました。しかし、日本ではなぜか、反対運動が起こりません。

「新型コロナは5G（超高周波の電磁波）」と私がいくら主張しても納得する人はいません。不思議な国、日本。

「新型コロナは5G（超高周波の電磁波）」だからワクチンの必要性は全くないのです。

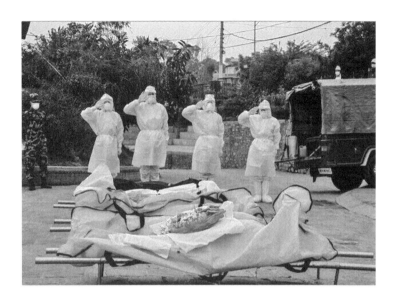

　↑↑ネパールで新型コロナ変異種の感染爆発とマスコミでは
なっていますが、その記事に添えられたこの写真の後ろの樹木
に注目してください。ここはネパールではなく、インドネシア
辺りです。そして、これはイスラム国の事件のときの写真に似
ている。作られたフェイクです。イスラム国の事件のとき、明
らかにフェイクと分かる写真を彼らは示してきた（内部に造反
組がいたのだろう）。

　老人でなければほとんど死ぬことはないウイルスを、これほ
ど怖がる必要はないことは、小学生でも分かるはず。

　新型コロナはないのです。新型コロナはマスコミウイルスで
す。

インドでは道端に寝るのは普通にあることだそうです。ただ、道端で昼寝をしているだけで、死んでいるのではありません。

マスコミは何でも作り上げるのです。「新型コロナはマスコミウイルス」と言って過言ではないでしょう。

アポロ11号と同じです。田舎ではいまだにアポロ11号が月に行ったと思っている人がほとんどで困ります。

電子部品は排熱が必要です（排熱しないと、その電子部品がダメになる）。空気も何もない真空では排熱ができません。

そして大気圏外では宇宙線が激しく降り注ぎます。その宇宙線を遮るためには鉄で60メートルの厚さが必要です。その宇宙線を遮らないと人は一瞬で灰になります。

あと100年は人類は月に行けないはずです。

もちろん、スペースシャトル、火星や金星への着陸などは全てフェイク（嘘）です。

マスコミは何でも作り上げ、人々を騙します。

Twitter で「5G&Corona」さんで検索です。1年前、命懸けで書かれたものですが、理解した人は少ない様子。霞が関の人です。内部告発です。

https://twitter.com/5gCoronasecret

コロナワクチンは打った人はもちろん、打たないでいる人に

もタバコの煙のように他の人に伝染するスパイク蛋白、ということを知り愕然としました。

　人類の30%がワクチン打つと人類人口大幅減少が完遂するのです。不妊になることはファイザー社の元副社長が強調されています。

　私は人類の10%が打つだけで彼らの目的は完遂する（拡散型ワクチンですから）と思います。彼らは多くがワクチンを拒否することは想定済みでした。

　その他に、認知症・ガンになることがアメリカの教授により強調されています（「自分で撒く」ワクチンが実在することを確認　ジョンズ・ホプキンス大学、ジェリー・デレチャ氏）。

　これは自然法則に反することです。このようなことをしてはいけないとされています。

　たとえサタンであっても、このようなひどいやり方で成文に反することはしないでしょう。

　カルマの結果があまりにも圧倒的で、取り返しがつかないことになるからです。

　もし、ワクチンを受けていない人に、皮膚の表面からスパイク状のタンパク質を流すようなワクチンを作って感染させているのであれば、神の怒りと裁きはすぐそこまで来ているはずです。悪魔でさえも、このようなことをしようとした人間に恐れ

をなしているでしょう。

　彼らにとってどれだけ悪い結果になるか、その無謀さゆえに彼らの計画を台無しにしてしまうかもしれないことを知っているからだ。

　何らかの方法で、彼らの計画を私たちに伝えなければなりません。

　私たちにはまだ自由意志があります。彼らはこれを阻害している。それはダメだ。

　"shedding"

　by Ethan Huff

『群衆が、強制ワクチンを受け入れたら、それでゲームは終りだ！

奴等はなんでも受け入れる－血液や内臓を大多数のために強制的に寄付させたり。

大多数のために、奴等の子供は遺伝子操作をして不妊にしてやる。

羊の心を支配して、群れも支配するのだ。

ワクチン製造会社は何十億ドルも儲け、今日、この部屋にいる皆の多くは、その投資家だ。

我々双方にとって、非常に好都合。

我々は群れの頭数を減らし、奴等は我々の絶滅サービスに金を払う。

さて、ランチは何かね？

- 2009年2月25日 世界保健機関優生学会議における ヘンリー・キッシンジャーの講演』

*出典：「さてはてメモ帳」様のサイト

工学系統の鬼才と言われる人からのメールです。

親愛なる toshichan-man

ご挨拶

お元気ですか？

　日本で「CORONA は5G」と主張しているのは、私だけのような気がします。

　あなたの国では、「コロナは5G」という認識が強いのでしょ

うか？

　この件については、友人たちともよく話し合ったのですが、この5Gの危険性を信じる人はあまりいませんでした。……

　撤回されたMassimo Fioranelli教授の論文についてどう思われますか？

　以下のリンクをご覧ください。彼の論文は私たちを引用していましたが、その後撤回されました。

　撤回されました。5G技術と皮膚細胞へのコロナウイルスの誘導－PubMed（nih.gov）

　だからこそ、このコロナと5Gの関連性には何か怪しいものがあるのではないでしょうか。

　同僚のNeil Boyd PhDとFlorentin Smarandache教授と一緒に作成した2つの論文もご覧ください（Fioranelliが引用したのと同じファイルです）。

＊＊＊

　しかし、COVIDも実在しているようです。

　（この人が、COVIDも実在しているようです。と言うならば、そうなのだろう。この人は絶対に間違いはない。世界の最高頭脳）。

　Richard Rotschildによるコロナ・ウィルスの証明（特許ファ

イル）も見てください……ご存知のように Rothschild は銀行家です（同封のファイルを参照）。

　もっと暗い雲の中には、フランク・プラマー博士が、武漢での大流行の数ヶ月前に、カナダの研究所からの SARS-CoV2流出の原因を調査中に殺されたことを示す証拠があります。

　また、Li Meng Yan 博士のレポートもご覧ください……彼女は中国のウイルス学者で、アメリカに逃れました。

＊　＊　＊

　結局のところ、5G が今日経験している本当のパンデミックの主な原因であるかもしれませんが、COVID は人々がスケープゴートを見つけるために作られたものです。

　一日の終わりに、それは WEF、特にクラウス・シュワブによって進められた偉大なリセットプログラムです。

　あなたはどう思いますか？

　心を込めて

　ビクター

　こんにちは、toshichan-man

非常に興味深い添付ファイルをありがとうございます。

SARS-CoV2に関連して、私の見解では、主な活動は人々にワクチンを提供することでした。ナノタングステンは、体内でのマイクロ波放射の効果を倍増させ、粒子はマイクロ波放射を受信・送信するミニアンテナとなります。

ダイアナ・ウォツコヴィアック博士が指摘しているように、マイクロ波は酵素経路（細胞病変のためのキナーゼ経路）を引き起こす可能性があり、これは脱落と関係があるかもしれません。

SPIONS（超常磁性酸化鉄粒子）や酸化グラフェンのようなものは、身体の磁力を高め、これらのワクチン成分で以下のようなことが可能になるかもしれません－クラウス・シュワブの言葉を引用します。

モノのインターネット（IoT）があなたの身体とつながるとき、その結果は身体のインターネット（IoB）となります。

IoB（Internet of Bodies）は、IoT の延長線上にあり、基本的には、摂取したり、埋め込んだり、何らかの方法で身体に接続されたデバイスを通じて、人体をネットワークに接続します。

接続されると、データを交換したり、身体やデバイスを遠隔で監視・制御したりすることができます。

酸化グラフェンは、高度に酸化された炭素原子の2次元ナノシートで、エッジと底面に酸素を含む官能基が付いている。

　この官能基のおかげで、グラフェンは伝説的な溶解性を持ち、ナノテクノロジーの世界ではユニークな存在となっている。

　酸化グラフェンのユニークな特性は、高い表面積、機能性、2次元（2D）シート状構造にある。

　高度に酸化された炭素原子が、ハニカム状の六角形の格子パターンに配列されているのだ。個々のフレークは、通常、XおよびY方向の幅がナノメートルからミクロンの大きさです。単層の GO の厚さは通常0.7〜1.2ナノメートルである。

　酸化グラファイトと酸化グラフェンの違いは、フレークの全体的な厚さである。10層以上の厚さのものは、一般的にグラフェンではなくグラファイトとみなされる。グラフェンは、通常、粉末、溶媒やポリマーに分散させた状態、またはスピンコーティングしたフィルムとして販売される。

　グラフェンは、超音波やホモジナイザーなどの高せん断力を利用して、水、ポリマー、溶媒などに容易に分散させることができる。

　酸化グラフェンの電子特性は、酸化により sp2結合ネットワークが破壊された構造的欠陥があるため、プリスティン（CVDまたはエピタキシャルグラフェン）のグラフェンとは比較にならないが。

　酸化グラフェンの導電性を向上させるためには、酸化を抑える必要があり、実際のアプリケーションに多くの利点をもたら

す。さらに、より導電性の高い材料と組み合わせることで、導電性を高めることができる。

　GO は多くの溶媒やポリマーに高い溶解性を持つため、酸化グラフェンの溶液加工特性を生かすことができる。

　スロットダイ、スクリーン、グラビア、その他の印刷方法を用いて、基板上にスピン、ディップ、コーティングすることができます。

　また、レーザーを使ってパターン化したり、縮小したりすることも可能で、PC の DVD ライターを使った例もある。

　巧妙なものですが、十分に巧妙ではないかもしれませんね。

　よろしくお願いします。

　ニコラス 〈/div〉

Hello toshichan-man

Many thanks for your very interesting attachments.

In relation to Sars Cov 2-the main action in my view was to get vaccines into people-and in the vaccines are nano particles of course. Nano tungsten multiplies up the effect of microwave radiation in the body and the particulates become mini antennae receiving and transmitting the microwave radiation . This might be connected with shedding and microwave radiation can trigger enzyme pathways (kinase pathways to cell morbidity) as Dr Diana Wotjkowiak points out.

The SPIONS-superparamagnetic iron oxide particles and maybe things like graphene oxide increase the magnetivity of the body and in these vaccines might enable the below-and I quote from Klaus Schwab:

When the Internet of Things (IoT) connects with your body, the result is the Internet of Bodies (IoB). The Internet of Bodies (IoB) is an extension of the IoT and basically connects the human body to a network through devices that are ingested,

129

implanted, or connected to the body in some way. Once connected, data can be exchanged, and the body and device can be remotely monitored and controlled.

Graphene Oxide is a 2 dimensional nanosheet of highly oxidized carbon atoms decorated with oxygen containing functional groups on it's edges and basal plane. These groups provide for it's legendary solubility, making it unique in the world of nanotechnology.

Graphene oxide's properties are unique because of it's high surface area, functionality and two dimensional (2D) sheet-like structure. It's highly oxidized carbon atoms are arranged in a honeycomb hexagonal lattice pattern. Individual flakes are typically nanometers to microns wide in the X & Y directions. Single layer GO is typically 0.7-1.2nm thick. The difference between graphite oxide & graphene oxide is the overall thickness of the flakes. Above 10 layers thick, materials are generally considered to be graphite, not graphene. It's typically sold as a powder, dispersed in a solvent or polymer, or as a spin coated film.

It's easily dispersed in water, polymers, solvents, using

ultrasonication or high shear methods such as a homogenizer.

Although the graphene oxide's electronic properties are not comparable to pristine (CVD or Epitaxial graphene) graphene due to structural defects from oxidation which disrupts the sp2 bonding networks. It can be reduced to improve graphene oxide conductivity and provides many advantages for real world applications. Additionally it can be paired with more conductive materials to boost conductivity.

GO's high solubility in many solvents and polymers enables the solution processing properties of graphene oxide. It can be spun, dipped, or coated onto a substrate using slot die, screen, gravure, or other printing methods. It can be patterned and reduced with a laser, even using a DVD writer in a PC has been shown.

Clever stuff but not quite clever enough maybe !

Best wishes

Nicholas

From: Victor Christianto [mailto:000000000o@gmail.com] Sent: 02 July 2021 07:04 To: 00000000@yahoo.co.jp Cc: Robert Neil Boyd Ph D; Florentin Smarandache Subject: Re:

dear toshichan-man

greetings

How do you do? hopefully things are going well for you
>>

I feel like I'm the only one in Japan claiming that "Corona is 5G".

In your country, is there a strong perception that "Corona is 5G"?

>>

Thanks for your email and question..Yes, we often discussed this matter with some friends. but not so many believe this 5g dangers hypothesis....

what do you think on retracted paper by Prof Massimo Fioranelli?

Please see the below link, his paper cited us, then it is retracted

RETRACTED: 5G Technology and induction of coronavirus in skin cells - PubMed (nih.gov)

That is why I suppose there is something fishy on this link between corona-5G link.

See also two papers that we prepared with our colleagues, Neil Boyd PhD and Prof Florentin Smarandache (the same file that was cited by Fioranelli). other papers by Prof Fioranelli can be found at vixra.org

***

But it seems also that covid is also real...

see also a proof (patent file) on corona virus by Richard Rotschild...as you know Rothschild is banker family (see enclosed file).

of a darker cloud, there are proofs that indicate Dr Frank

Plummer was killed while investigating the cause of covid virus leak from canadian lab, few months before the outbreak at wuhan.

and you can also read Dr Li Meng Yan's report...she is a virologist from China, who fled to USA

***

all in all, it may be, but still need investigating, that 5G is the main cause of real pandemic that we experience nowadays, but covid was also created in order those people can find a scapegoat

at the end of the day, it is the great reset programme advanced by WEF especially klaus schwab

what do you think?

yours

Victor

工学系の鬼才と言われる（毎回、ノーベル賞候補に挙がっている有名大学教授）、この人でさえ、間違っていた。

　この人は、私が「核ミサイルは存在しない」という論文を提出したときの査読者です。以来の付き合いです。

「そのことは言っては（書いては）いけない」との返事でした。

　アメリカは特許を申請したら審査なしに申請料（これが非常に高い!!）さえ払えば何でも特許になることを知らなかった。
　アメリカにはタイムマシンの特許もある。

ワクチン接種者が真の「スーパー・スプレッダー」となる!

5G(超高周波の電磁波)はこれからの巨大利権です。これを書いた人、そして読んだ人、殺されるかもしれません。

深層国家(「deep state(闇の国家)」のこと)が彼らを動かそうと最善の努力をしているにもかかわらず、ほとんどのアメリカ人は武漢コロナウイルス(COVID-19)ワクチンにノーと言っている。

なぜなら、このワクチンは自己拡散する可能性があるからである。

つまり、ワクチンを受けた人が、ワクチンを受けていない人と「空気を一緒に吸う」それだけで、効果的にワクチンを接種することができるのである。

ジョンズ・ホプキンス大学(JHU)の論文によると、自己拡散型ワクチンは、ワクチンを受けた人と受けていない人の両方に広がるように設計されているそうです。

つまり、あなたが予防接種を受けなくても、あなたの周りにいる人が最近予防接種を受けたのであれば、あなたも予防接種を受けたことになるということです。

　皮肉なことに、これではワクチンを接種した人が、社会を危険にさらす真の「スーパー・スプレッダー」になってしまいます。

　ウイルスが空気中を伝播するという確証（まだ証明はされていないだけ。これを証明すると殺されるから誰も証明しようとはしない）はまだないが、実際に社会に病気を広めているのは誰なのか？　その答えは、ワクチン接種者です。

　JHU の論文によると、「自己拡散型ワクチン（伝染性ワクチン、自己増殖型ワクチンとも呼ばれる）は、伝染病と同じように集団の中を移動するように遺伝子操作されているが、病気を引き起こすのではなく、保護を与えるものである」と説明している。

　JHU の論文では、「対象となる集団の中の少数の人にワクチンを接種し、そのワクチン株が病原性ウイルスと同じように集

団の中を循環する」というビジョンを描いています。このような ワクチンは、人間や動物の集団におけるワクチン接種率を飛躍的に向上させることができ、各個体に接種する必要はありません。

この論文では、自己拡散型ワクチンには、組み換えベクターワクチンと生ウイルスワクチンの2種類があることが説明されています。武漢コロナウイルス（COVID-19）の注射は、前者に該当すると思われます。

「組み換えベクターワクチンは、病原性ウイルスの要素を組み合わせて免疫を誘導する（病気の原因となる部分を取り除く）ものです」と論文は説明しています。

「サイトメガロウイルスは、種特異性が高く、適度な感染力を持つことから、組み換えワクチンの候補の一つとなっています」

論文の全文は、こちらのリンクからご覧いただけます。

知らず知らずのうちに「ワクチン」を接種しているかもしれないのです。

チャイニーズ・ウイルスについては、昨年の夏、科学者たちはすでに自己拡散型のワクチンを作る方法を考えていました。

Bulletin誌によれば、ワクチンの「ためらい」のために、優生学者たちは、注射の自己増殖性を最大限に高める方法を考えているという。

「少なくとも20年間、科学者たちはこのような自己増殖するワクチンの実験を行ってきた。この研究は今日まで続いており、米軍も注目している」と Bulletin 誌は報じ、このような技術のリスクが高いことを認めている。

〝いったん放出されると、科学者はもはやウイルスをコントロールできなくなる。ウイルスは自然に突然変異するかもしれない。種を飛び越えるかもしれない。国境を越えることもあるでしょう。予期せぬ結果、意図しない結果が起こるでしょう。いつもそうなのだ〟

　大手製薬会社から生まれた他のすべてのものと同様に、自己拡散型ワクチンは偽物です。

　ワクチンを「機能」させるためには遺伝子操作が必要であり、ウイルスのように機能することから、ワクチンこそが私たちを脅かす真のウイルスであることを示唆しています。

　基本的には、人口のごく一部の人に直接ワクチンを接種するという考え方である。

　そして、これらのファウンダーと呼ばれる人々は、触ったり、セックスしたり、授乳したり、同じ空気を吸ったりして出会った他の動物にワクチンを受動的に広めます。このような相互作用により、徐々に集団レベルの免疫が構築されていく可能性があります。

　自己拡散型ワクチンは〝害虫駆除〟のために発明された。

皮肉なことに、自己拡散型ワクチンのアイデアは、害虫を駆除するための新しい方法を開発したいという科学者たちの願望から生まれたものでした。

　つまり、自己拡散型ワクチンは、害虫駆除のために存在するのです。

　初期の自己拡散型ワクチンには、動物を不妊化する効果のあるものがありました。

　この「免疫避妊法」は、注射されたマウスの免疫システムを乗っ取り、子孫を受精させないようにするものである。

　↑↑今の日本の農業でできる作物は全て種を農協から買っている。種ができないからである。

（追記）

　強毒性のウイルスを造ったら、闇の権力まで死んでしまうから、新型コロナは造られていない。

　もしも造られていたにせよ、弱毒のウイルスしか造られていないはず。

　弱毒のため気づかれず、全世界に蔓延することを狙っていたと陰謀論者は言う。

　その意見は正しいかもしれない。

　しかし、世界の意見は「新型コロナは造られていない」に傾いてきている。

日本の皆様いつも応援ありがとう
人類に対する敵は私達が消し去りますが
日本を変えるのは貴方達の役目です

　トランプ前大統領のような人が強権的に動いてくれなければ、日本人は皆、馬鹿だから不可能です。

　日本人は皆、牢獄に入っていることを知らない（気づいてない）のです。

Johns Hopkins University Confirms That 'Self-Spreading'
Vaccines Are Real Johns Hopkins University Confirms That
'Self-Spreading' Vacci thebiblefiles.com

Johns Hopkins University Confirms That 'Self-Spreading'
Vaccines Are Real

By Jerry Derecha

This goes against natural law. They are n not supposed to be
allowed to do this. Even Satan himself would not go against the
Codex in this flagrant of a manner.

（略）

https://chemicalviolence.com/#

https://thetattyjournal.org/2021/05/08/johns-hopkins-
university-confirms-that-self-spreading-vaccines-are-real/

https://chemicalviolence.com/2021-05-07-johns-hopkins-
confirms-self-spreading-vaccines-real.html

☂〜☂〜☁〜☁〜☁〜☂〜☂〜
☂〜☂〜☁〜☁〜☁〜☂〜☂〜

イーサン・ハフ記／2021年4月13日

　武漢コロナウイルス（COVID-19）の「予防接種」を受けて以来、多くの女性が生理不順や重さ、痛みを訴えています。

　例えば、生理の途中で「不正出血」が起こるという人もいれば、何日も出血が続くという人もいますが、これらは全てワクチン接種のおかげです。

　イリノイ大学の准教授で、この現象を数ヶ月にわたって追跡調査しているケイト・クランシー博士は、「同僚が、ワクチン接種後に生理が重くなったという話を他の人から聞いたと言っていました」と語ります。

　クランシー博士はツイッターで、注射を受けた女性の月経に関する悩みの相談を受けています。その結果、多くの女性が月経量の多さや生理痛の悪化、月経時期の不規則さなどを訴えており、中にはジョンソン・エンド・ジョンソン（J&J）の注射を受けた後、16日間出血が続いたという女性もいました。
「他の月経者も変化に気づいているのか気になります」とクラ

ンシーは付け加えました。私はモデルナの１回目の投与から１週間半が経ち、１日ほど早く生理が来て、20代に戻ったかのように噴出しています。

クランシーはさらに、生理３日目には「１日に数回、長めの一晩用ナプキンを交換していた」と明かしています。

クランシーさんは、モデルナの注射が原因ではないかと推測し、「脂質ナノ粒子やmRNAのメカニズムにより、注射が女性の〝広範な炎症反応〟を促しているのではないか」と付け加えています。

「いずれにしても、私は魅力的です！」と彼女は付け加えた。「炎症＋組織リモデリング＝余分な血色の良さ！」

COVID-19の予防接種はIQテスト──受ければ失敗する（知能低下する。中年以降は呆けて使い物にならなくなる）。

ところで、クランシーはワクチンの専門家であり、LGBTの専門家でもあります。そのため、彼女は「他の月経者」に言及していますが、これは女性を「自認する」男性にも月経があることを意味しています。

言い換えれば、彼女は「アンチワクチン派」ではなく、中国のウイルスに刺された結果、注射された女性の部分に大きな変化が起きていることに気づいているのです。

クランシーのツイートに反応したある女性は、J&Jの注射を受けた２日後に「１週間以上早く」生理が始まったと説明し、

〝通常より重い〞と付け加えた。

〝２番の注射からちょうど２週間後、私の周期は12日早く、過去３年間よりも重くなりました〞と別の人が書いています。「Pro-Vaccine Queen」という名前の人は、モデルナを注射した３週間後に避妊パックの途中で生理が始まったとツイートしました。彼女は、このようなことは「12年間ピルを飲んできて一度もなかった」と付け加えています。

　他にも多くの人が同様の副反応を報告しており、自分だけではないと安堵(あんど)しています。武漢コロナウイルス（COVID-19）の注射に伴う不可逆的な変化を経験することに関しては、どういうわけか不幸な仲間がいることに安心するのである。

　マレア・ウェルネス社の創業者であるモニカ・グローネ氏によると、彼女の会社では、カンフル注射を受けた後に生理不順になった女性の話を何千人も聞いているという。

　テキサス州にあるベイラー医科大学の産婦人科教授であるマーク・タレタイン博士は、「COVID-19ワクチン接種後の生理周期の乱れを説明する生物学的メカニズムは存在しない」と主張しています。

　雑誌『Reproductive BioMedicine Online』に掲載された論文によると、武漢コロナウイルス（COVID-19）に「陽性」と判定された女性のうち、少なくとも25％が「月経量の変化」を

経験し、19％が通常よりも長い月経を経験したという。

また、VAERS（Vaccine Adverse Event Reporting System）のデータによると、「ワクチン」に対する反応の80％以上が女性から報告されています。

2010年「TED2010会議」ビル・ゲイツ宣言
「人類をウイルスで間引き、不妊化させて人口抑制を促進する」

ビル・ゲイツが、その正体を明らかにしたのは2010年にカリフォルニア州で開催された「TED2010会議」だ。ワクチンや医療、生殖の技術を駆使して「劣等人種」が勝手に増えないよう、女性は中絶の促進と不妊化、男性も生殖機能を落とすといった複合的な方法で10億人以上の人類を「間引く」と宣言した。

武漢コロナウイルス（COVID-19）の注射による健康被害に関するその他の関連ニュースは、ChemicalViolence.com でご覧いただけます。

コロナ mRNA ワクチンはこれまでにないワクチンであり、このワクチンを注射すると、患者の遺伝物質に直接介入し患者の遺伝物質を変異させてしまいます。つまり患者の遺伝子操作をするということです。（中略）…このような人の遺伝子操作は遺伝子組み換え食品と同じであり非常に危険なことです。

（中略）

その結果、ダウン症候群、クラインフェルター症候群、ターナー症候群、遺伝性心不全、血友病、囊胞性繊維症、レット症候群、他を患っている患者と同じように残りの人生を不治の遺伝子異常で苦しむことになります。つまり、mRNA コロナワクチンを接種した患者は、不治の疾患が生じることになります。

（中略）

今回のコロナワクチンの供給は、人類史上最大の人道に対する犯罪を示唆しています。

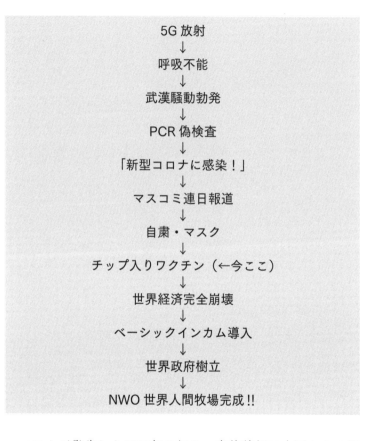

5G 放射
↓
呼吸不能
↓
武漢騒動勃発
↓
PCR 偽検査
↓
「新型コロナに感染！」
↓
マスコミ連日報道
↓
自粛・マスク
↓
チップ入りワクチン（←今ここ）
↓
世界経済完全崩壊
↓
ベーシックインカム導入
↓
世界政府樹立
↓
NWO 世界人間牧場完成!!

　コロナが発生した2020年の初め、安倍首相は中国からの観光客などを止めなかった。安倍首相は「コロナは5G」と知っていたと思います。私は安倍さんの３度目の首相就任を唱える者です。政治家の中で、安倍さんだけは信じたい。

　2021年６月23日の報告では、接種後数日以内に355人死亡している。接種時のアナフィラキシーショック者も1000人以上

出ている。この mRNA は、安全性の確認や治験がなされていないので、決して安全とは言えない。最悪は死亡する。

「ワクチン打ってから8日目、熱が下がらない。頭がおかしい、寝れない、眠れない。助けてください。左肩が上がらないんですよ！！！　助けてください！」

「2回ワクチン接種しても普通にコロナになっています。ウガンダの選手みたいに。ワクチン接種って、意味あるんですか」

「ワクチン副反応が酷いです。息がしにくいです。どうしたらいいですか？」

「私も息がしづらくて悪寒もして怠いです。1回目接種から4日経過しています」

　ファイザーからの警告！（※音量注意）

　https://vimeo.com/565225301

　日本はまだですがワクチン接種者は飛行機搭乗禁止になるかもしれません。

　https://twitter.com/jimakudaio/status/1406771997338607620

　上空に行くと血栓が出来やすくなるらしい⁉　ワクチンは殺人兵器。打つな（NHK）。

　https://www.youtube.com/watch?v=eT1V6_VBuFQ&t=13s

　同（FNN）

　https://www.youtube.com/watch?v=nEkEdrm0xZ8

　元自衛官の話ワクチンを打って日本弱体化計画完了！

https://www.youtube.com/watch?v=NjUx8GwZcCg

「私はコロナワクチンを打ってから、頭が変になっています。どうしたら良いのでしょうか？」

コロナは幻

　今は女性の方が勉強ができるようになっている不思議。これは男性は血中鉄が多く、3G・4G の害を受けやすいからです。女性は生理で血液中の鉄が低い、電磁波の影響を受けにくいからです。

　昔は2G もなかった。大気圏内の電磁波は弱かった。それゆえに男性のほうが圧倒的に勉強ができていた。

　これから5G の時代。さらに女性のほうが勉強ができるようになるでしょう。

　5Gにより出生数は劇的に減少するでしょう。男性の精子は電磁波にやられ、女性の胎盤も5Gにやられ、出生数は劇的に減少する。

　これはWHOで危機的なこととして話し合われてきたことです。しかし、WHOのトップクラスは「deep state」、握り潰されました。

　オオカミも恐竜も電磁波で滅んだ。オオカミは田舎の山には明治時代まではいた。しかし、ラジオの開始により、大気圏内の波動が少しながら高周波化し、電磁波（高周波の波動）に敏感なオオカミは子供を産めなくなった。

　火星や金星（宇宙人でないと行けないらしい）だけでなく宇宙ステーション（無重力で浮いている人がいる）も全て捏造という説があります。

　↑↑すべて捏造なのです。我々、愚民は、テレビ上の虚構（虚像）の中で生きているのです。

　コロナワクチン、静かな殺人者。

　このワクチンは、しばらく経ってから副反応が出てくる。直後の副反応は微々たるもの。このワクチンは人口抑制のためのもの。子供は生まれなくなる。

mRNAワクチンを接種するほとんど の人は5年以内に死にます。

これまでのところ、米国では420万回 の投与が行われており、その数 は2025年までの人口は、mRNA vax を摂取する人の数によっては、現在 の半分になる可能性があります。 」

ホワイト・ハットもコロナウイルス・ワクチンに関 する同じ見積もりを行っています。６ヶ月以内に多 くの人間が死ぬと言っています。

もし、以下の記事で石井健教授が日本政府にワクチ ン接種を急がせていることは、「大医療犯罪 」、 日本人絶滅オペレーションの悪魔の言葉としか聞こ えません。科学者でも、何でもないただのナチス虐 殺計画が病院と言う強制収容所(屠殺場)で行われ、 このような3D人間が大学教授として日本政府に日本 人の生死に関する重要な意見を提言する眠った日本 です。

　日本はマスク馬鹿、テレビベッタリ信仰者、自分 で考えることを放棄した従順な人間の集団である事 がこのコロナウイルス危機の際に、日本人全員マス クという驚愕的光景で明らかになっています。3Dの 光景です。

今から、数ヶ月以内、5年以内の大量ワクチン接種 後での日本の人口の見積もりは、ホワイト・ハッ ト、ヘルス・ハンジャーの見積もりで言うと、日本 人は絶滅するものと思われます。５年後に日本は存 在しません。

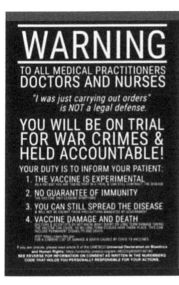

「PCR検査はパパイアでもコーラでも陽性となる」と言ったアフリカの大統領は殺されました。⇩⇩

https://www.bitchute.com/video/sYbvBQyMdL3t/

マイケル・イードン博士（元ファイザー社副社長）
「初回接種者のうち0.8％は2週間以内に死亡する。即死しなかったとしても、接種者の**見込み寿命（life expectancy）は平均2年**である。これは追加接種によって短縮する。数十億人が悶え苦しみながら死ぬことになる。このワクチンの接種者が天寿を全うすることはない。生きながらえる期間は、長く**見積もっても、せいぜい3年**である」

 ひろし
@hiroshitokyo46

ワクチンについて
エリッククラプトンが話してる。

7185 回再生済み ・ 作成者 EartHeartH

21:42 ・ 2021/06/16 ・ Twitter for Android

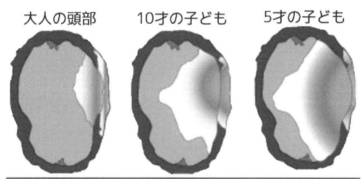

| 大人の頭部 | 10才の子ども | 5才の子ども |

電磁波が頭部を貫くコンピューターイメージ
（オム・ガンジー：ユタ大学 1996年発表）

　ワクチンの成分の一つであるナノジェル（ルシファラーゼ）が、接種によって体内に入ると、スマホやその他の機器デバイスと通信できるようになる。

　複数の医師や科学者が言ってるので間違いないでしょう。

ワクチンに入っているナノジェルがデバイスに接続する。
⇩⇩

　https://screenshot.jp/files/video/revelation_and_covid19.mp4

　https://screenshot.jp/files/video/hydrogel.mp4

　https://screenshot.jp/files/video/Dr-Carrie-Madei_2.mp4

　技術者が5G（超高周波の電磁波）でつながると発言。⇩⇩

　https://screenshot.jp/files/video/5G.mp4

　既にデバイスにつながっちゃった人。⇩⇩

　https://screenshot.jp/files/video/connect2device-1.mp4

　https://screenshot.jp/files/video/connect2device-2.mp4

　↑↑衝撃の動画は削除されたらしい

　今はこれのみ。⇩⇩

　https://www.youtube.com/watch?v=W57aKUayePs

新型コロナウィルス騒動の真相

　新型コロナウィルス騒動はグローバル経済の時代に世界中の政府、メディア、医療機関をもコントロールして捏造されたでっち上げの危機です。中国が発祥の地として選ばれたのは秘密主義の独裁政権であるが故に全てをウヤムヤに出来るからであり、つまり中国はグローバル資本に利用されたに過ぎません。実際、中国のラボで制作された最初の新型コロナ論文は10日と言う異例の早さで完成され、そのラボは論文発表の直後にあたかも隠蔽工作のように閉鎖されています。そしてコロナ騒動に欠かせないものとなっているPCRテストはその開発者（キャリー・マリス＝ノーベル賞学者）が感染症の検査に使う事に反対していました。キャリー・マリスは2019年の夏に自宅で肺炎死という不審な亡くなり方をしており殺害説が有りますが、テレビに彼の名前は決して出て来ません。メディアこそがコロナ騒動をでっち上げているグローバル資本の広報機関であるからです。

　日経新聞でも報道されたロックフェラー財団によるコモンパス計画とは出入国などにワクチンの接種証明書などが必要になる計画ですが、そうした証明書は忘れたら不便だという口実で体内にインプラントされるマイクロチップとなり、最終的にそれが人間の身分証明書になります。なおマイクロチップ計画は2007年、ロックフェラー家と親交の有ったアーロン・ルッソ（映画監督）により暴露されましたがアーロン・ルッソはその半年後に64歳で死亡しています。このような計画が有るため、メディアは世界中で多発しているワクチンの薬害訴訟について一切口をつぐみ、まるでワクチンが救世主であるかのようにTVで喧伝しているのですが、それはもちろん罠なのです。

ドアの開錠も—

　ところでワクチン業界とWHOの最大出資者はロックフェラー財団と関わりの深いビル・ゲイツ（マイクロソフト創業者）であり、コロナ統計で有名なジョンズ・ホプキンス大学にも彼等の息がかかっています。コロナ騒動は中流家庭や中小企業を破壊し、金融業者を中心とした世界的大資本が一般庶民をIT技術で管理する社会構造を作るためにでっち上げている世界規模の茶番劇なのです。グローバル経済の現代は中国、ロシア、アメリカ等の大国の上にグローバル企業、世界的大資本のネットワークが君臨して世界を動かしているため、そうした壮大なでっち上げが可能になるのです。この茶番劇の最大の武器はメディアによる洗脳と医学的な専門知識の悪用による騙しであり、現実世界は2019年までと何も変わっていないのです。中国発のトンデモ学説を元にありもしないウィルス危機がでっち上げられ、大多数の一般市民がそれに騙されて、全く必要の無い感染症対策に取り組んで甚大な被害をもたらしている。それがコロナ騒動の本質なのです。

医師と看護師の皆様方へ

警告

この予防注射には、ダメージがあり場合により「死亡」する事があります。
「指示された通り接種を実行しただけです」では、法的な保護になりません。

あなたは「戦争犯罪の裁判」にかけられ、
" 責任を問われる " ことになるでしょう

新ニュルンベルク裁判 2021

● 『人道に対する罪』 戦争犯罪 軍事法廷 ●

85,000人以上の医師、ウイルス学者、疫学者の叫び声にもかかわらず、人体実験は続了していない。
ライナー・フルナミッヒ博士率いる1,000人以上の弁護士と10,000人以上の医療専門家のチームが、
『人道に対する罪』に関する　CDC、WHO、ダボス・グループに対する法的手続きを開始した。

今回の 「実験的な」 コロナワクチンは、
これらの国際法に違反しようとする者に
　死　刑　 を科す
『ニュルンベルク綱領』
10項目、全てに違反している。

Point ⑪ 1兆倍の電磁波の下で暮らす人々

　Qアノンも全く同じ主張をしていますから、「コロナは5G（超高周波の電磁波）」は間違いないのです。

　Qアノンはアメリカ軍最高司令部と思っていたが、イスラエル諜報機関らしい（←だから間違いない）。

　↑↑2019年秋冬から2020年3月のアメリカのインフルエンザ蔓延は5G肺炎だったのだ！！！

　スペイン風邪と同じタイプのインフルエンザと言われていたが。

　アメリカは2019年夏に5Gスタートになっている！！！

　☂～☂～☁～☁～☁～☂～☂～

　新型コロナワクチンの副反応と、5G（超高周波の電磁波）の副作用が極似しているのです。

　都会は電磁波に充ちており、人の棲む所ではありません。支配者たちは5G（超高周波の電磁波）とワクチンに含ませた（ナ

ノジェル）で人民を支配したいようです。

　都会から逃げるべきです。そしてワクチンは決して打っては
いけません。人民支配のための今回のコロナ騒動です。

　コロナはない、コロナは幻。

　ウイルスとは異次元の存在らしい。幽霊は存在するが、異次
元の存在で、実体はつかめていない。幻聴の綿密な研究により、
幽霊は確実に存在し、異次元の存在らしい。

　量子力学で言うところの捉えどころのない存在がウイルスら
しい。現在、ウイルスとされる像はエキソソームという病態の
排泄物に過ぎない。

　専門家の先生方のワクチンについての見解をご参考にしてみ
てください。

https://www.youtube.com/watch?v=v2_mC9VNUSs&feature=
emb_logo

　https://www.bitchute.com/video/4nZ7mCblGjwf/

　アメリカ軍50万人接種→１万1000人死亡、10万人に血管障害。

　カナダは、ワクチン接種禁止。

　元ファイザー社の副社長マイケル　イードン博士は、

「ワクチンの接種の必要はない」

と去年からずっと言われてます。

https://parstoday.com/ja/news/world-i69901

アメリカの全ての看護師の60%がワクチンを拒否
オランダの８万９千人の医師看護師が拒否
イギリスの看護師、介護士スタッフの１／３が拒否
カナダ軍も禁止
などワクチン接種拒否が広まっています。

なぜか日本ではそうした動きが表立ってきません。メディアがワクチンを推進していることから報道されないだけなのかもしれませんが、医療機関が製薬会社から研究費などの提供を受けているからなのかもしれません。いずれにしても mRNA ワクチンというこれまで人類が接種したことがないワクチンを全世界で施行しているのですから人体実験に他なりません。

今回のワクチン開発会社のファイザーの元副社長マイケル・イードン博士は昨年10月からワクチン接種は必要ないと訴えている。

ワクチンの無条件の推進者だったあの WHO でさえ、未成年には打ってはならないと方向転換してきた。世界の国で、いまだに能天気にワクチン接種を進めているのは、日本くらいのものである。

今後、多くの死亡事故が明らかになり、生殖器機能への障害

が分かってくると、間違いなく、打ちたくないという人は、６割を超えてくると思われます。

　冷静に考えれば、今の状況は、政府の無策と、マスコミの煽りによるものでしかありません。

　後遺障害や副反応の危険を冒してまで、意味のないワクチンを打つ必要などないことに、だんだんと多くの人々が気づいてくるはずです。

　卵巣への影響があるというのは、ファイザー自体が認めているのに、河野は何を根拠に、デマなどと言うのだろう。薬というのは、安全性が確認されてから認証するものである。

　生きるか死ぬかの問題ならば、打たなくてはならないこともあるだろうが、若者がコロナで亡くなる可能性は、あのイギリスでさえ、100万分の１だ。

　つまり、日本においては、安全かどうか不明である海外製のワクチンを、子供が打つ必要は皆無なのである。

①若者は、感染しても亡くなることは100万分の１であり、統計的に見るなら、ワクチン接種の必要はない。

②今のワクチンは、治験が不十分の段階で緊急措置として認証され、安全性は確認されていない。

　コロナは5G（超高周波の電磁波）であり、存在しない。

コロナはない。コロナは幻想。

　殺人者がやってくる。読んでる貴方のところにも殺人者がやってくる。

20～100m間隔で電柱に設置

オフィスの窓に設置

マンホール下に5Gアンテナ埋設

164

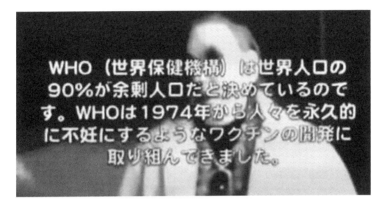

WHO（世界保健機構）は世界人口の90％が余剰人口だと決めているのです。WHOは1974年から人々を永久的に不妊にするようなワクチンの開発に取り組んできました。

鉄の塊を浮上させ、時速５００キロなど走らせるということは、どれだけ電力がでているのでしょうか。そう、社内に乗車しているひとは、電磁波をそのものを、まるまる照射させられることになります。乗客は、1万ミリガウス被曝すると、国土交通省は公式に認めているようです。

それでは、1万ミリガウスとは、安全値でしょうか？

ベッカー博士の提示する基準は、居住地域で0.1ミリガウス、電気製品で1ミリガウスということので、もう論外ですね。3〜4ミリガウスで、子供のがんが増大すると言いますから、安全基準の1万倍では、アウトです。

知らされない、知られないことをいいことに、リニア新幹線を走らせ、経済的に成功することだけを考えているようです。(原発の必要性も主張できますし好都合。ウハハ)でも、結局、身体への影響問題は、いつかは解決しなければならないことだと思います。

まだまだ未知数の電磁波ですが、ひとりでも多くの国民が、電磁波への関心を持ってもらうことで世論ができます。問題が取り上げられれば、経済界や企業はようやく動き出すと思います。この国では、マスコミは機能せず、政権の都合の悪いことは知らされないので、意図的に情報を収集するようにしましょう。

リニアモーターカーで近隣の住民に大きな健康被害が出る。

↑↑

超高波長をリニアモーターカーが発生させるからだ。

☂〜☂〜❀〜❀〜❀〜☂〜☂〜

軽井沢のビル・ゲイツの別荘は地下３階で東京まで地下道が続いています。

乗り物に乗ってあっという間に東京に着きます。

悪魔崇拝による小児生け贄の儀式が行われていると言われますが？？　真偽は不明。

小児生け贄は昔から行われていたことは常識だから、確実。

どの古代宗教も小児生け贄を行ってきました。

キリスト教は小児生け贄は行っていないようですが、ユダヤ教は行っていました（今は禁止になった？？）。

アステカ文明では小児生け贄が行われていました。

生まれてくる子供がたくさんで、口減らしが必要だったからです。

その頃は子供が10人生まれることが普通だったからです。12人14人も多かった。

子供があまり生まれなくなったのは、電磁波が多くなると共に精子の数の減少・精子の運動の困難化・受胎の困難化などに

よるでしょう。

　日本でも昔はきょうだいの数が10人はザラでした。

　私の父は8人兄妹、母も8人兄妹、昔は子供の数はこれくら
いが普通でした。

　電磁波が多くなると共に子供の出生数が減っていきました。

　恐竜も太陽の光が高周波化（紫外線と思う）すると共に子供
が生まれにくくなり、滅びていきました。

　教科書上は隕石の落下で恐竜絶滅となっていますが、インド
の学者は「太陽光の高周波化が原因で絶滅した」と主張されて
いました。

　オオカミもラジオの開始と共に電磁波（高周波の波動）が少
し多くなると共に子供を産むことが困難となって、滅びました。

　人間も2G・3G・4Gで出生数減少、5Gで劇的に出生数が減
るでしょう。

　WHOは出生数の減少への警告を行っていましたが、トップ
連中は「deep state」、普通の職員の意見は無視されました。

　昔は子供は天然痘などで幼くして死んでしまうことが多く、
12人生まれても3人しか残らないというのは普通でした。

　昔はウイルス感染が激しく、多くの子供は天然痘・麻疹・風
疹などで死んでいってました。

　昔は8Hz。大自然は8Hz……ウイルスも8Hzなら居心地が
良く、ウイルスは非常に繁殖しました。

ところが人類が電気を発明し、以来、大気圏内の波動の変化（高周波の波動）が起こりました。

　出生数はそのために劇的に減少しました。オオカミが電磁波で絶滅したように、人間にも電磁波は大敵であったのです。

　しかし、企業の利益のみ追い求められ、電機業界はどんどん発展していきました。

　電機業界は今の5Gのように花形産業でした。

　電波を全て禁止にしている大学がフランスにあります。

　大学内では（もしかすると、その大学を擁する都市単位で）全てEthernetを使わねばならないようになっています。無線ルーターは禁止。Ethernetのみと徹底しています。

　もちろん、携帯は禁止です。昔の電話機とファックスのみです。

　欧米では電磁波の害への認識が強く、今日。「corona 5G」で検索したら、物凄くたくさん出てきました。

　欧米では、コロナは5G、が常識のようです。コロナは5G、と言わない人がいないようです。

　言語の壁が日本人と欧米人に立ちはだかっています。しかし、今は自動翻訳があります。私はDeepL翻訳ばかり使っていますが、物凄く正確です。

　老人の肺も同じように5Gタワー直下の病院では異常となり、多くの老人が肺炎で亡くなりました。

　新型コロナ肺炎ではないのです、5G肺炎です。

　イギリスでは2020年３月にこのことが気づかれ、5Gタワーに反対する運動が起きました。

　しかし、それらは「deep state」により徹底的に潰されました。

著者経歴

島原半島加津佐町に生まれる。長崎東高、長崎大学医学部卒

年齢は99歳、すでに飛行機事故にて死亡（現在所在地・あの世）

ただ今、お墓の中（あの世）

この画像、ケネディJr. はオーケーすると思います。私は熱烈Qです。

Telegram でケネディJr. に関する記事をよく読んでいます。

コロナは幻

第一刷　2021年10月31日

著　者　電波人間ことtoshichan-man

発行人　石井健資

発行所　株式会社ヒカルランド
　　　　〒162-0821　東京都新宿区津久戸町3-11　TH1ビル6F
　　　　電話 03-6265-0852　　ファックス 03-6265-0853
　　　　http://www.hikaruland.co.jp　　info@hikaruland.co.jp
　　　　振替 00180-8-496587

本文・カバー・製本 —— 中央精版印刷株式会社
DTP —— 株式会社キャップス
編集担当 —— 伊藤愛子

ウイルスは [ばら撒き] の歴史
著者：菊川征司
推薦：船瀬俊介
四六ソフト　本体2,000円+税

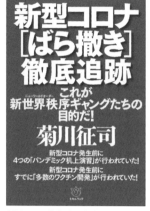

新型コロナ [ばら撒き] 徹底追跡
著者：菊川征司
四六ソフト　本体1,800円+税

エイズウイルス（HIV）は生物兵器だった
著者：ヤコブ＆リリー・ゼーガル
監修：船瀬俊介
訳者：川口啓明
四六ソフト　本体2,000円+税

コロナと陰謀
著者：船瀬俊介
四六ソフト　本体2,500円+税

ヒカルランド　好評既刊！

地上の星☆ヒカルランド　銀河より届く愛と叡智の宅配便

打つな！飲むな！死ぬゾ!!
著者：飛鳥昭雄
四六ソフト　本体1,800円+税

秘密率99％ コロナと猛毒ワクチン
著者：飛鳥昭雄
四六ソフト　本体1,800円+税

コロナ・パンデミック
想定外ウィルスの超裏側！
著者：飛鳥昭雄
DVD　本体3,300円+税

【DVD版】秘密率99％ コロナと猛毒ワ
クチン
著者：飛鳥昭雄
DVD　本体3,000円+税

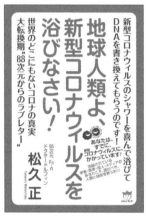
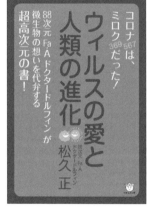